Le musée Picasso
Paris

Le musée Picasso Paris

Marie-Laure Besnard-Bernadac

Conservateur au musée Picasso

Ministère de la Culture
Editions de la Réunion des musées nationaux

en collaboration avec
Arnoldo Mondadori Editore

Traduzione
Serena Marchi

Copertina:
Ritratto di Dora Maar (particolare)
1937

ISBN 2.7118.0265.5

Introduzione

Fra gli artisti del suo tempo, Picasso è senza dubbio il solo che potesse giustificare pienamente la creazione di un intero museo esclusivamente dedicato alla sua opera. La straordinaria ricchezza della produzione, frutto al tempo stesso della sua longevità e dell'infaticabile e incessante attività dispiegata, la varietà delle tecniche utilizzate – pittura, scultura, incisione, disegno, ceramica, poesia – e infine, soprattutto, la cura con cui l'artista si era preoccupato di conservare le opere essenziali di ogni periodo: tutto indicava la necessità che una simile collezione venisse riunita in un unico luogo, un museo che illustrasse l'eccezionale dimensione dell'universo picassiano – intendendo con ciò non solo l'artista ma anche l'uomo, giacché nel suo caso vita e opera sono indissociabili –, l'influsso che egli esercitò sull'arte del XX secolo, i contatti frequenti e spesso amichevoli con i grandi maestri dell'epoca, i rapporti che lo legarono al teatro, al balletto, alla musica, alla letteratura, al cinema e alla fotografia... insomma, le innumerevoli sfaccettature del genio proteiforme di Picasso.

Alla sua morte l'artista aveva lasciato un immenso patrimonio costituito da migliaia di opere, senza alcun testamento. Grazie alla "legge di dazione" che consente agli eredi di pagare allo Stato le tasse di successione in opere d'arte, la creazione del museo passava allo stadio di progetto realizzabile, e in tale senso si orientò appunto la scelta delle opere da parte dello Stato francese. Rimaneva il problema di trovare un luogo degno di accogliere una simile opera, e al tempo stesso adeguato al personaggio, al temperamento dell'artista. L'elenco dei numerosi ateliers di Picasso – castello di Boisgeloup, Hôtels des Grands-Augustins, villa "La Californie" a Cannes, castello di Vauvenargues, *mas* Notre-Dame de Vie a Moungins – ne dimostra la predilezione per le dimore antiche e monumentali: l'ultima, destinata a ospitare il suo museo, non avrebbe potuto concretarsi più degnamente che in un palazzo secentesco del centro storico di Parigi.

L'Hôtel "Salé", una delle più prestigiose dimore del Marais, fu costruito nel 1656 per Aubert de Fontenay, *fermier général* della gabella (ovvero: l'imposta sul sale, donde il soprannome del palazzo stesso), dall'architetto Jean Bouiller, detto "di Bourges", mentre lo scalone d'onore fu opera degli scultori Martin Desjardins e dei fratelli Marsy. Prima di accogliere il Museo Picasso, il palazzo, oggi di proprietà del comune di Parigi, conobbe le più varie destinazioni. Morto Aubert de Fontenay, nel 1671 fu dato in affitto all'ambasciata veneziana, quindi passò nel 1768 alla famiglia de Juigné, e nel 1828 fu adibito a sede dell'Ecole Centrale des Arts et Manufactures. Nel 1887 veniva occupa-to da tale Vian, bronzista, mentre dal 1945 al 1960 ospitò l'Ecole des métiers d'art. Infine, nel 1964, fu acquistato dal comune di Parigi che nel 1975 lo affittò allo Stato. I lavori di restauro, affidati alla Sovrintendenza ai monumenti, riguardarono il rifacimento della copertura e delle facciate, il ripristino dell'originaria scansione del cortile d'onore e il restauro del "pezzo forte" dell'intero edificio, la celebre gabbia delle scale in pietra scolpita: a dirigere l'operazione fu chiamato l'architetto Roland Simounet, autore del progetto selezionato per concorso. I lavori di sistemazione e di adattamento degli interni, iniziati nel Maggio del 1983, si sono conclusi nel 1985.

La raccolta si compone in massima parte delle opere acquisite grazie alla legge di dazione: 203 dipinti, 191 sculture, 16 papiers collés, 85 ceramiche, oltre 3000 disegni e incisioni, nonché numerosi libri illustrati, manoscritti, opere di altri artisti e alcuni pezzi della raccolta di arte primitiva. Completa l'insieme la collezione personale di Picasso (Cézanne, Matisse, Braque, Doganiere Rousseau...), oggetto di una donazione al Museo del Louvre fin dal 1973 e che consente di evocare l'universo estetico del pittore, i suoi maestri ed amici. Da quando è stato creato, il museo si è inoltre arricchito di nuove acquisizioni (doni, lasciti, acquisti...) che contribuiscono a farne una raccolta unica al mondo, attraverso cui si può seguire l'evoluzione dell'opera picassiana nei suoi diversi aspetti dal 1895 fino al 1972.

Il presente catalogo propone una selezione di settantuno opere considerate i "capolavori" del museo, ovvero pezzi di incontestabile importanza storica, ma anche altri meno noti che Picasso aveva tuttavia conservato gelosamente, sia per motivi di ordine sentimentale e familiare, sia per il loro valore di punti di riferimento, indizi di una tappa, di una svolta nella sua arte. La scelta si è orientata sui periodi meglio rappresentati nella raccolta del museo, e talora meno noti: le costruzioni cubiste, il periodo neoclassico, quello di Boisgeloup, l'ultimo periodo. Non sono presenti alcune opere celebri conservate altrove, quali *Il Buffone* o la *Testa di Fernande*, volutamente tralasciate a vantaggio di pezzi unici, o di serie, caratteristici del museo. Dipinti e sculture si avvicendano cronologicamente per illustrare il costante dialogo fra questi due modi di espressione. Nel commento alle singole opere ci si è sforzati di ricollocarle nel contesto della vita dell'artista e della sua evoluzione stilistica: e dunque non solo di descriverle formalmente, ma di evidenziarne le eventuali fonti, i disegni preparatori, nonché le affinità con altre opere analoghe conservate nel museo.

La sigla MP seguita da una o più cifre, che compare talora nelle schede, si riferisce ai numeri di inventario del museo Picasso, mentre le abbreviazioni Z. e Daix in nota rinviano ai cataloghi ragionati di Pierre Daix e di Christian Zervos citati nella bibliografia alla fine del volume.

Autoportrait

(Autoritratto)

Fine 1901
Parigi
Olio su tela
H. 81 cm, l. 60 cm

*«Pittura madida
come l'umido fondo dell'abisso e commovente...».*
Apollinaire

*«È il colore per eccellenza,
il più blu dei blu».*
Picasso

Immagine dell'uomo e al tempo stesso proiezione soggettiva di una visione dell'artista, l'autoritratto è per natura un genere doppiamente significante.

Sulle orme di illustri predecessori quali Rembrandt e Van Gogh, Picasso dimostra una particolare predilezione per il tema, poiché nell'intero corso della sua lunga esistenza affiderà all'immagine del proprio volto il compito di scandire le tappe fondamentali della sua vita e dell'opera. Eseguito durante il secondo soggiorno dell'artista a Parigi, nell'Inverno del 1901, l'autoritratto qui presentano segna l'inizio del periodo blu ed è l'ultimo di una serie, prima della partenza per Barcellona nel Gennaio del 1902.

Benché all'epoca non avesse che vent'anni, Picasso offre di se stesso l'immagine di un uomo assai più vecchio: il volto appare scarno e tirato per i rigori dell'inverno; e il colorito terreo, illuminato soltanto dal rosso chiaro delle labbra, la barba irsuta e l'ampio cappotto in cui è infagottato contribuiscono ad accentuare l'impressione di tristezza, miseria e solitudine che emana dalla tela. La scelta dei toni freddi, in particolare il viola del cappotto, e la leggerezza del tocco "anemico", che solo nel viso si fa più corposo, si armonizzano con il carattere spoglio, ascetico della visione. Il fluido disegno del cappotto, il suo trattamento in zone verticali e uniformi di colore separate da un contorno nero, richiamano la lezione di Lautrec e di Gauguin, mentre l'intensità psicologica che si esprime nello sguardo cupo e quasi allucinato dell'artista evoca taluni autoritratti di Van Gogh, di cui Picasso subiva a quel tempo l'influenza.

La forma del cappotto e l'impaginazione del dipinto riappariranno pressoché identiche nel ritratto della *Celestina* (1903).

In questa sua immagine priva di indulgenza, Picasso non nasconde in alcun modo le angosce e la miseria della propria attuale condizione, senza tuttavia lasciarsi cogliere dalla tentazione del sentimentalismo: l'artista conserva intatta la propria fierezza.

Nel periodo in questione, che segue di poco al suicidio dell'amico Carlos Casagemas, l'arte del pittore è interamente dominata dalla malinconia: «Ho iniziato a dipingere in blu pensando a Casagemas», confiderà egli stesso a Pierre Daix. E fu proprio questo aspetto dell'opera a colpire maggiormente i critici del tempo: «È incredibile che una simile ombra di sterile tristezza possa permeare l'intera opera di un uomo tanto giovane... Come non pensare che questo artista di impressionante precocità sia destinato a conferire il suggello del capolavoro al senso negativo di vivere, male di cui soffre più di chiunque altro?»[1].

E l'amico Sabartès dirà di lui: «Crede che la tristezza si presti alla meditazione e che la base della vita sia il dolore»[2]. Charles Morice giungeva addirittura ad attribuirne la «predilezione per i gesti e gli accenti carichi di mestizia» alle origini andaluse, a un atavismo della sua razza.

Fra i diversi tentativi di analisi del periodo blu non ve n'è di fatto nessuno che fornisca una spiegazione interamente soddisfacente. In realtà, esistono due problemi distinti: quello del monocromato e quello del blu. Se il secondo è il colore della notte, e dunque si presta a numerose interpretazioni psicologiche e simboliche — «il blu della notte, del chiaro di luna e dell'acqua, blu di Duat dell'oltretomba egizio», dirà Jung[3] —, il monocromato ha per parte sua precise conseguenze formali quali la semplificazione, la stilizzazione e l'unificazione. Un'altra componente essenziale, sottolineata da Pierre Daix, è che si tratta della prima trasgressione delle apparenze sensibili, dell'affermazione della soggettività del pittore, che vede ogni cosa in blu, quasi frapponesse un filtro tra il proprio sguardo e il mondo. Alberto Moravia[4] ci sembra aver penetrato appieno il significato reale di questa tappa dell'arte picassiana quando scrive che «il blu non significa né la miseria, né la fame... esso manifesta la volontà di Picasso di affermare la propria personale e generica vitalità, senza alcun giudizio, senza alcuna scelta morale, attraverso un colore totalitario e demiurgico». Quanto al monocromato, lo scrittore vi vede «il passo più importante verso la 'maniera', vale a dire l'indifferenza sperimentale nei confronti della ricchezza e delle complicazioni di un'autentica visione del mondo», e la cui funzione è quella di «indicare un'idea strettamente formale del mondo: un'idea colorata».

Yo Picasso
1901
Coll. privata

La Celestina
1903
Francia, coll. privata

1. Charles Morice, in «Mercure de France», Parigi, Dicembre 1902.
2. Citato da J. Leymarie, *Picasso, Métamorphoses et unité*, Skira, Losanna 1971, p. 2.
3. C. Jung, *Picasso*, in «Neue Zürcher Zeitung», 13 Novembre 1932.
4. A. Moravia, *Explosion de la manière*, in *Tout l'œuvre peint de Picasso: périodes bleue et rose*, Flammarion, Parigi 1980.

Les deux frères

(I due fratelli)

Estate 1906
Gosol
Guazzo su cartone
H. 80 cm, l. 59 cm

Nell'Estate del 1906, Picasso si reca con la compagna Fernande Olivier a Gosol, un villaggio dell'alta Catalogna. Questo soggiorno segna una nuova tappa nella sua creazione, permettendogli di condurre a compimento un'evoluzione delineatasi fin dal 1905 con i Saltimbanchi. Picasso abbandona infatti l'estetica sentimentale e letteraria del periodo blu, con i suoi volti emaciati, le sue immagini di miseria e di solitudine, per volgersi a un universo di bellezza, equilibrio e serenità. Se nel tema dei due fanciulli, dai volti fini e ben disegnati e l'espressione pensosa soffusa di tenerezza fraterna, nonché nella presenza di un oggetto come il tamburo, sopravvive un'eco del mondo circense, la nudità e i volumi pieni e rotondi dei corpi, la posizione frontale stabile ed equilibrata, le calde sfumature di ocra, di grigio e di rosa, sono altrettanti segni del nuovo stile "classicheggiante" che l'artista inaugura a Gosol. Il guazzo qui riprodotto risale agli inizi del soggiorno catalano ed è uno studio per la grande tela di Basilea dallo stesso titolo, di cui esistono anche vari disegni preparatori[1]: nella versione definitiva non rimane traccia degli accessori, e la figura si staglia lievemente di profilo, sola e nuda su uno sfondo completamente monocromo. Qui invece, l'artista accosta alla figura del giovane efebo ignudo alcuni elementi di natura morta —

scodella di coccio, vaso di fiori — che oltre a rispondere a una precisa esigenza di ordine ritmico della composizione alludono, per la loro natura tipicamente mediterranea, alla vita semplice, rustica e pastorale che egli e Fernande conducevano a Gosol.

Picasso si mostra preoccupato di accentuare il trattamento scultoreo del corpo: il torso e le gambe si sviluppano in semplici volumi arrotondati; il rilievo è reso da un gioco di sfumature chiare su alcune parti delle carni, altrove più calde; infine, le forme piene della figura risaltano sul fondo unito ed è evidente l'intento dell'artista di portarle sempre più in avanti, fino a coincidere con il piano del quadro. Nel trattamento del torso e delle gambe si indovina già la stilizzazione propria della scultura arcaica, mentre la parte superiore del torso anticipa, nella sua nebulosa morbidezza, la maniera che caratterizzerà *Le due donne* del 1906[2].

1. Daix XV, 3-6.
2. Z. I, 360.

I due fratelli
1905
Basilea, Kunstmuseum

Autoportrait

(Autoritratto)

Autunno 1906
Parigi
Olio su tela
H. 65 cm, l. 54 cm

Questo dipinto, con cui si conclude il periodo di Gosol, fa parte di una serie che comprende non solo l'*Autoritratto con tavolozza* del Philadelphia Museum of Art, ma anche numerosi disegni talora sovrapposti sul medesimo foglio e in cui Picasso studia sul proprio volto il procedimento della maschera.

Il trattamento del torso ne sottolinea il carattere architettonico: un quadrato delimitato da tre linee scure costituite dai profili delle braccia e dalle clavicole, e il cui centro coincide con il punto di intersezione dei pettorali con la linea mediana del busto. Il collo forma un cilindro quasi perfetto, il che induce a pensare che il ritratto sia posteriore a quello di Filadelfia in cui esso conserva invece la caratteristica curvatura verso la nuca. La testa, di forma ovoidale, sembra semplicemente posata sul tronco tozzo, largo e robusto, in cui il ricordo del *Bagnante* di Cézanne si coniuga con la specifica morfologia del soggetto. Il viso, le sopracciglia, il naso triangolare, le palpebre sono quelli caratteristici dei ritratti di Gosol, fortemente influenzati dall'arte iberica, ma qui gli occhi anziché aprirsi sul vuoto rivelano lo sguardo scuro, fisso e profondo dell'artista. Il trattamento dissimmetrico della fronte, che rende più grande e misterioso l'occhio, è anche in certo qual modo un'anticipazione delle duplici viste del volto – di faccia e di profilo – che l'artista utilizzerà più avanti.

Dopo il periodo rosa, Picasso ritorna qui ai colori grigi e spenti che fra breve saranno caratteristici del Cubismo. La materia è densa, corposa e lavorata, e le tracce del pennello sembrano quasi scolpire le forme: tutto contribuisce a esprimere la forza, la robustezza, la serenità. Come fa giustamente osservare A. Barr[1], «in pochi mesi [l'artista] passa da uno stile prossimo a quello di Prassitele» (*I Nudi, L'acconciatura, La toilette*) a un'«austerità arcaica», quasi avesse penetrato il segreto dell'atteggiamento rigido e un po' goffo degli antichi "kuroi". Si ha l'impressione che il corpo non possa resistere a lungo alla tensione che ne gonfia i volumi, alla forza vitale che ne irrigidisce i muscoli sotto la pelle.

Ma al di là delle innovazioni formali e stilistiche, l'interesse principale del dipinto consiste nell'intensità, nella fissità dello sguardo. «L'occhio, nuda mandorla o abisso oscuro, è l'unico varco offerto alla miseria e all'angoscia»[2]. Apertura profonda su quanto avviene in un aldilà situato oltre il quadro, lo sguardo è una chiave essenziale dell'opera picassiana: mutamento della percezione, supremazia del visibile, sguardo sul mondo e su se stesso, finestra aperta o chiusa, coinvolgimento diretto dello spettatore, tutto ciò trova espressione nella pupilla oscura dell'occhio dell'artista.

1. A. Barr, *Fifty years of his art*, Moma, New York 1946, p. 46.
2. F. Gilot, *Picasso, peintre de chevalet*, in *L'année de la peinture*, Calmann-Lévy, Parigi 1980, p. 183.

Autoritratto con tavolozza
1906
Filadelfia, Museum of Art, A.E. Gallatin coll.

Studio per l'*Autoritratto*
1906
Parigi, Museo Picasso

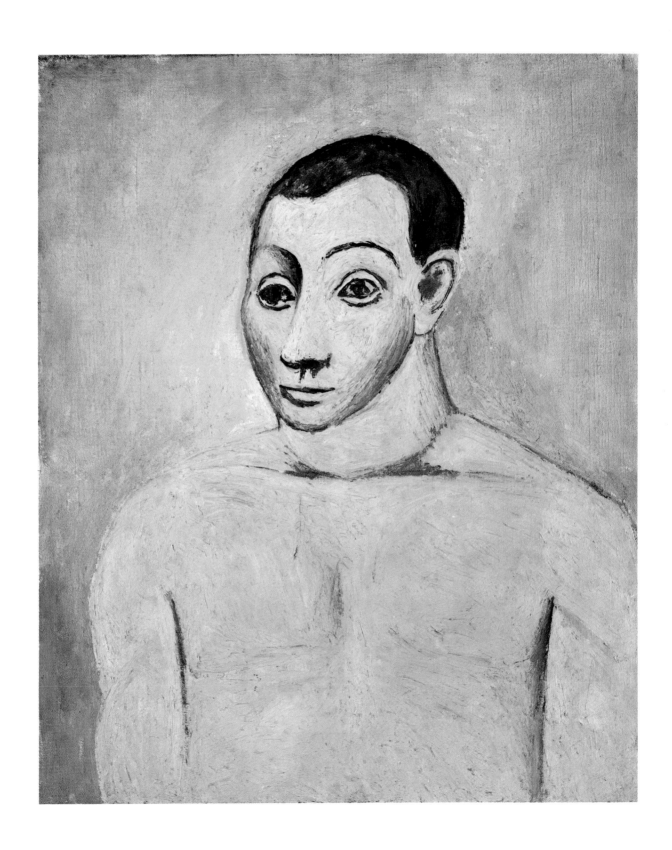

Figure

(Figura)

1907
Parigi
Quercia scolpita con tocchi di colore
H. 80,5 cm, l. 24 cm, pr. 20,8 cm

Coeva alle *Demoiselles d'Avignon*, questa figura lignea sommariamente intagliata e parzialmente dipinta rivela, nello spirito come nelle forme, l'influenza di quel primitivismo che all'epoca Picasso aveva mutato dalla lezione di Gauguin e da quella dell'arte africana e oceaniana. Come è noto, l'artista aveva avuto modo di approfondire lo studio della scultura in legno di Gauguin in occasione della retrospettiva al Salon d'Automne del 1906 e, indirettamente, grazie allo scultore Paco Durio, suo compatriota nonché vicino di casa al Bateau-Lavoir. Nell'arte di Gauguin, ciò che maggiormente gli interessava non era la componente esotica ma piuttosto il ritorno a una forma di espressione selvaggia e primitiva. D'altro canto, egli possedeva un *Tiki* delle Isole Marchesi e due statue della Nuova Caledonia in cui si riscontrano la medesima semplificazione geometrica dei volumi, l'iscrizione della forma in un blocco rettangolare e la stessa caratteristica sagoma tozza e massiccia, in cui le varie parti del corpo si sovrappongono e si compenetrano verticalmente. È interessante notare che negli studi preparatori la prima versione dell'idolo femminile appare vestita; inoltre, il Museo Picasso possiede un disegno in cui il tratteggio vivacemente colorato ripete le incisioni del legno.

Nella serie di otto figure lignee scolpite in quel periodo dall'artista, è questo indubbiamente il pezzo più monumentale. Visto di fronte, il corpo, modellato schematicamente, affiora a malapena dal blocco in cui è stato ricavato. Talune parti – il volto, il braccio destro – sono addirittura appena sbozzate, mentre il disegno a colori sul ventre e sul viso ha appunto il compito di sottolineare e delimitare le forme. La caratteristica saliente dell'opera, e che contribuisce a farne un pezzo eccezionale, è costituita dall'aspro vigore della lavorazione, la cui violenza si manifesta nelle scheggiature e nelle profonde incisioni che solcano la figura all'altezza del petto, quasi il legno fosse stato attaccato a colpi di accetta. Il materiale conserva così tutta la sua vivezza, le venature del legno e le tracce degli utensili rimangono visibili, mentre l'aspetto scabro e spigoloso della superficie sottolinea l'immagine della donna come idolo "intoccabile".

L'impressione di barbarie, di robustezza, di solidità che richiama la visione della donna espressa nelle *Demoiselles d'Avignon* è accentuata dalla maschera scimmiesca del volto, dalla tensione tra forma e materiale che si traduce nell'aspetto contratto del corpo, e soprattutto dal "non-finito" dell'opera, caratteristica tipica di Picasso e non dell'arte primitiva.

Statuetta femminile
Nuova Caledonia
Parigi, Museo Picasso

Figura
Parigi, 1907
Parigi, Museo Picasso

Nudo in piedi, di profilo
Parigi, 1907
Parigi, Museo Picasso

Mère et enfant

(Madre con Bambino)

Estate 1907
Parigi
Olio su tela
H. 81 cm, l. 60 cm

Ogni elemento di questa tela contribuisce ad assegnarle un posto di eccezione nella pittura picassiana dell'epoca: il violento contrasto dei colori – rosso, verde, blu –, l'accentuata stilizzazione dei volti, il carattere monolitico dei corpi simili a manichini, l'aspetto brutale e selvaggio del bambino e, non ultima, la versione a dir poco inconsueta del tema tradizionale della maternità. Il tratteggio che caratterizza il trattamento dei volti e di parte del fondo inidca che l'opera fu eseguita nel periodo immediatamente successivo alle *Demoiselles d'Avignon*, di cui costituisce una sorta di post-scriptum, e precedente di poco il *Nudo con drappo*, che vi è già idealmente contenuto. Qui, il procedimento in questione si avvale infatti arditamente del colore cosicché le striature, al di là del mero valore di ombre o di indicazioni del rilievo come nel caso del *Busto di donna o di marinaio* (MP.15), assolvono inoltre la funzione di integrare la figura allo sfondo creando dei ritmi plastici che li accomunino. Questo reticolo di tratti non deve peraltro essere assimilato alle scarificazioni delle maschere africane, che sono sempre simmetriche, poiché nella pittura di Picasso ha al contrario il ruolo di accentuare la dissimmetria. La sproporzione degli occhi e del naso riprende, esasperandole, le convenzioni della statuaria iberica. Il volto della donna deriva direttamente da alcuni studi di teste femminili per le *Demoiselles d'Avignon*, soprattutto per quanto riguarda la forma dello chignon, gli occhi e il naso, mentre quello del bambino, con i suoi occhi smisurati, le

fitte striature che lo solcano e la straordinaria forza espressiva, evoca indubbiamente certe maschere africane. Si tratta d'altronde di una figura particolarmente curiosa, assai più simile a una marionetta o a un vecchio che non a un bambino, e in cui la strana forma della testa calva ove si apre un'ampia zona di colore rosso evoca la visione di un cranio vuoto, contribuendo ad accenturare l'impressione di straniamento.

La semplificazione formale, l'uso del colore in stesure piatte, la scelta stessa dei toni fra cui predominano il blu, il verde e il nero, il trattamento geometrico del fondo e l'aspetto globalmente primitivo del dipinto ricordano inoltre l'influenza di Matisse. Nell'opera picassiana il tema della maternità non compare che in alcune fasi ben precise: durante il periodo blu e rosa, e nuovamente nel corso degli anni venti dopo la nascita del figlio dell'artista. La sua presenza nel 1907 appare dunque tanto più sorprendente in quanto si colloca immediatamente dopo la realizzazione delle *Demoiselles d'Avignon*, che testimonia di una ricerca iconografica di tutt'altro tipo. A meno che nel bambino non si debba vedere un'allusione al figlio adottato per qualche tempo da Fernande Olivier, la compagna del pittore, oppure un'immagine trasposta dello studente o del marinaio delle *Demoiselles*, vale a dire dello stesso Picasso o del poeta Max Jacob, in presenza di una delle suddette *Demoiselles*: Fernande, Marie Laurencin o la nonna di Max Jacob, come l'artista si dilettava talora di chiamarle.

Busto di donna o di marinaio
(Studio per *Les Demoiselles d'Avignon*)
Parigi, 1907
Parigi, Museo Picasso

Homme à la guitare

(Uomo con chitarra)

Autunno 1911 (1913)
Parigi
Olio su tela
H. 154 cm, l. 77,5 cm

Variazioni cromatiche di grigio, bruno, ocra, velature trasparenti, frammentazione dei volumi in numerose faccette, geometrizzazione dei piani: tutte le caratteristiche del Cubismo Analitico sono presenti in questo dipinto. Iniziato nel 1911-1912 e ripreso nel 1913, come dimostrano le iscrizioni sul rovescio della tela nonché la leggibilità delle diverse tappe dell'esecuzione, l'*Uomo con chitarra* illustra in modo esemplare l'evoluzione del Cubismo fra il 1911 e il 1913, dalla sfaccettatura del volume, la frammentazione della forma omogenea e il suo inserimento nell'armatura spaziale fino all'introduzione delle lettere alfabetiche (nella fattispecie il gruppo KOU) e di dettagli realistici (la voluta della poltrona, il bicchiere) che fungono da punti di riferimento. Insieme all'*Uomo con mandolino* (MP.35), il quadro fa parte della serie di otto composizioni monumentali realizzate negli anni 1911-1912 e raffiguranti personaggi maschili o femminili con diversi strumenti musicali. Entrambi i dipinti citati sono tuttavia contraddistinti dalla particolarità di presentare il personaggio a figura intera, ciò che peraltro ha costretto l'artista ad aggiungere alla tela una striscia supplementare che dà l'impressione che il terzo inferiore del quadro sia "incompiuto" o quanto meno trattato in modo diverso dalla parte superiore.

La scansione verticale e l'impaginazione della figura derivano da un disegno[1]; la testa può essere accostata agli studi per un uomo baffuto con la pipa[2], in cui il cranio e la capigliatura sono egualmente trattati come un volume arrotondato; infine, un disegno del 1913[3] presenta un identico rapporto fra il trattamento cubista della figura e quello realistico del bracciolo della poltrona.

La singolarità dell'opera consiste essenzialmente nella suddivisione tra tre distinte zone sovrapposte, differenti nel tono e nella scrittura pittorica, e che corrispondono ad altrettante precise fasi del Cubismo. Il terzo superiore, con dominante ocra scuro, rappresenta la tappa della sfaccettatura dei volumi, ma il fondo è stato ripreso in un secondo tempo e ridipinto in modo che il contorno della forma rimanesse chiuso: così, la testa dell'uomo sembra staccarsi dal fondo unito per venire a coincidere con la superficie del quadro. Per non perdere contatto con il reale, Picasso salva la forma racchiudendola saldamente entro il suo contorno. La parte centrale, trattata nei toni del beige con velature trasparenti e luminose, si dispone in piani geometrici attorno a un centro rappresentato dal foro della chitarra. Quest'ultima, esplosa, scomposta in diversi elementi, si fonde con la struttura piatta della superficie. Il ritmo grafico e ripetitivo delle curve e dei cerchi, e lo spartito, suggeriscono il movimento e la musica. La struttura ortogonale dei piani è contraddetta dall'impostazione obliqua della chitarra e dalla linea di fuga del piano del tavolo. Il terzo inferiore, ovvero la parte di tela aggiunta, sembra indicare il delinearsi di un nuovo linguaggio plastico che propone una sintesi delle forme dell'oggetto associata a una serie di piani rettilinei e a un'architettura di linee. La transizione fra le due parti è assicurata dal prolungamento dell'angolo del tavolo e del triangolo dello spartito, ma la separazione orizzontale rimane tuttavia assai leggibile.

L'unità dell'opera si fonda appunto su questa digradazione, sul disgregarsi della figura dall'alto al basso, sul progressivo passaggio dal pesante e pieno al leggero e trasparente: il conflitto fra l'oggetto reale e il fondo, lo spazio piatto del quadro, è qui più aspro che mai.

1. Z. XXVIII, 48
2. Z. XXVIII, 84, 85, 89, 99
3. Z. XXVIII, 237.

Uomo con mandolino
Parigi, 1911
Parigi, Museo Picasso

Uomo con clarinetto
[Céret-Parigi], 1911
Parigi, Museo Picasso

Donna seduta con chitarra
1912-1913
Parigi, Museo Picasso

Nature morte à la chaise cannée

(Natura morta con la sedia di paglia)

Primavera 1912
Parigi
Olio e applicazioni in tela cerata su tela con cornice di corda
H. 29 cm, l. 37 cm

«... Non ha disdegnato di affidare alla luce perfino degli oggetti
autentici, una canzonetta, un francobollo vero,
un pezzo di tela cerata su cui è stampato
il motivo di un sedile impagliato. L'arte del pittore non potrebbe
aggiungere alcun elemento pittoresco alla verità di tali oggetti» [1].
Apollinaire

La *Natura morta con la sedia di paglia* è una di quelle opere pressoché mitiche destinate a rimanere come pietre miliari della storia non solo del Cubismo ma dell'intera arte del nostro secolo: non a caso, l'artista non acconsentì mai a separarsene, conservandola gelosamente nella propria raccolta. Quando, ai primi del 1912, inserisce in un quadro un ritaglio di tela cerata per significare una sedia, Picasso opera un'autentica rivoluzione nell'atto stesso del dipingere, rimettendo in questione una tradizione pittorica ormai secolare: perché mai, infatti, si dovrebbe rappresentare in "falso", vale a dire dipingendo illusionisticamente, ciò che si può invece presentare al "vero", con un oggetto reale? Il problema del conflitto tra arte e realtà, tra procedimento artistico e produzione meccanica, trovava dunque esplicita formulazione: ma ciò non significava in alcun modo che l'ambiguità fosse risolta, poiché, da un lato, Picasso combinava i due sistemi e, dall'altro, il pezzo di tela cerata non era un frammento di impagliatura reale ma un semplice trompe-l'œil. Perciò, il dipinto costituisce al tempo stesso un'applicazione e una critica di un determinato modo di rappresentazione, e il confronto fra i due universi porta a nuove considerazioni estetiche: non solo sul colore, ormai introdotto come elemento autonomo, ma anche sullo spazio piatto della tela e sulla sua tessitura, che si contrappongono allo spazio pittorico e alla sua specifica materialità.

Nella parte dipinta si riconoscono alcuni segnali già codificati: il limone, il bicchiere, la pipa, il coltello, la conchiglia di un frutto di mare e le lettere stampigliate JOU (per JOURNAL), ovvero l'abituale repertorio delle nature morte cubiste del tempo, catalogo del quotidiano, di quanto si poteva trovare su un tavolino di bistrot.

Il formato ovale, allora assai apprezzato perché consente di ricentrare la composizione e di evitare le fughe ortogonali degli angoli, qui è sottolineato da una finta cornice in corda che evoca il bordo del tavolino, concretizzando un motivo dipinto di passamaneria presente in numerose tele cubiste "con *guéridon*", e che ha inoltre la funzione di conferire al quadro lo statuto di oggetto.

L'invenzione del collage rientra nell'esigenza di un ritorno al reale che in Picasso e in Braque si manifesta per reazione contro l'ermetismo cui rischiava di condurli la logica del Cubismo Analitico. Il primo passo era stato compiuto con l'inserimento di un chiodo, cui avevano fatto seguito quelli di lettere stampate e di imitazioni di materiali (finto legno, sabbia...). Poco tempo dopo, Braque realizzava il suo primo papier collé. L'introduzione di un materiale di scarto in un'opera d'arte aprì la via ai "ready-mades", all'arte dell'assemblaggio, ai collages dadaisti e surrealisti.

---

1. G. Apollinaire, *Les peintres cubistes*, Parigi 1913.

Violon

(Violino)

1913/1914
Parigi
Scatola di cartone, papiers collés, guazzo, carboncino, gesso su cartone
H. 51,5 cm, l. 30 cm, pr. 4 cm

Nella Primavera del 1912 la *Natura morta con la sedia di paglia* aveva legittimato l'inserimento nel dipinto di un corpo estraneo alla pittura. Era questo il primo passo verso la creazione del papier collé, la cui paternità sarebbe da attribuirsi a Braque, che nel Settembre del 1912, a Sorgues, incollò su un disegno a carboncino alcuni ritagli di una carta da parati "tipo legno" notata nella vetrina di un negozio di colori. Di lì a poco, Picasso, entusiasta, adotta il nuovo mezzo espressivo e nell'Autunno del 1912 realizza nel proprio studio di Boulevard Raspail una prima serie di papiers collés: «Mi servo delle tue ultime tecniche cartacee e polverose», scrive all'amico nell'Ottobre del 1912[1]. L'invenzione si iscrive nella logica interna del Cubismo, poiché nasce dall'esigenza di un ritorno al reale, al concreto, che in Picasso e Braque è la naturale reazione alla fase ermetica del Cubismo Analitico appena superata. Il papier collé consente, innanzi tutto, di far ritorno al colore, che dal 1907 era stato trascurato a vantaggio dell'analisi della forma e della sua struttura, e che può essere applicato in modo autonomo, indipendentemente dalla forma e dall'oggetto rappresentato. D'altro canto, esso permette di inventare un nuovo sistema di *presentazione* della realtà, di giocare sugli effetti inerenti alla natura e all'aspetto dei materiali adottati e, infine, di creare un nuovo spazio pittorico formato da vari piani sovrapposti, il che equivale ad affermare il carattere bidimensionale del quadro. Fra la superficie piana e il rilievo c'è solo un passo, come dimostra questo *Violino* del 1913 che assicura la transizione fra *papier collé* e *tableau-relief* con il semplice ausilio di una scatola di cartone che, sporgendo dal piano del quadro e proiettando un'ombra reale, suggerisce il volume della cassa dello strumento.

Nel *Violino* sono sintetizzati tutti i procedimenti di cui Picasso si avvale in quell'epoca: papier collé, pittura, scultura, abolendo ogni distinzione tecnica. Come già in *Bottiglia su un tavolo* (MP. 369), il fondo è costituito da fogli di giornale, materiale scelto per diverse ragioni: non solo in quanto facilmente reperibile, ma anche perché i caratteri tipografici, il colore grigio delle righe e talora perfino il contenuto svolgono un importante ruolo visivo e grafico nella percezione dell'opera. Il materiale del violino è indicato dalle strisce di carta stampata a finto legno, la sagoma e una delle "esse" sono disegnate a carboncino sul fondo, le corde sono rappresentate da strisce di carta a righe, e il manico è un ritaglio di carta dipinto illusionisticamente come, d'altronde, il fondo bianco su cui si concentra la luce. Lo strumento è stato dunque scomposto in altrettanti frammenti, che altro non sono se non le sue diverse qualità che l'artista ha isolato per ricomporle arbitrariamente e sinteticamente in un'opera. Giochi mentali e visivi, i papiers collés hanno una particolare dimensione poetica e musicale che qui trova un'illustrazione esemplare, per il rigore e la semplicità con cui l'artista è riuscito a fondere armoniosamente piani rettilinei e forme curve, e a combinare l'opacità della carta con la luminosità della pittura bianca.

---

1. Citato da I. Monod-Fontaine, *Georges Braque, Les Papiers collés*, Centre Georges-Pompidou, Musée National d'Art Moderne, Parigi 1982.

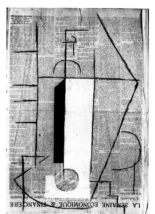

Bottiglia su un tavolo
Parigi, 1912
Parigi, Museo Picasso

21

Mandoline et clarinette

(Mandolino e clarinetto)

[1913]
Parigi
Costruzione: elementi in legno di pino con applicazioni di pittura e tratti a matita
H. 58 cm, l. 36 cm, pr. 23 cm

L'opera fa parte di una serie di costruzioni o assemblages in legno, metallo o cartone realizzati dall'artista fra il 1912 e il 1915. Frutto, in parte, della logica interna del Cubismo, della sua aspirazione al rilievo, della tendenza a svincolare le forme dal piano pittorico per immetterle nello spazio reale e, d'altra parte, della traduzione in termini tridimensionali del linguaggio dei papiers collés e dei materiali di scarto, queste costruzioni rappresentano una svolta fondamentale nella scultura del nostro secolo, aprendo la via al Costruttivismo e alla scultura astratta. Nel corso di quei tre anni, Picasso approfondisce tutte le possibilità offerte dal nuovo mezzo di espressione: costruzioni, assemblages o collages, tableaux-reliefs o sculture dipinte, combinando le esperienze della pittura e del papier collé e passando indifferentemente dall'uno all'altra per verificarne la rispettiva efficacia e peculiarità. Le costruzioni si avvalgono anche della lezione delle maschere africane, destinate anch'esse a essere appese su una parete e parimenti caratterizzate da un'architettura di piani e di vuoti che suggerisce in negativo il rilievo; ma i soggetti rimangono quelli tradizionali dell'iconografia cubista: strumenti musicali o elementi di natura morta.

In questo caso, la composizione consta di una tavoletta rettangolare inclinata, che indica il fondo e sottolinea il piano del muro contro cui si appoggia, e di due elementi di legno verticali intersecati orizzontalmente da altri due: quello inferiore, di forma cilindrica, rappresenta il clarinetto, i cui fori sono indicati da una serie di punti neri e l'orifizio, da un cerchio a motivi concentrici.

Su questa griglia ortogonale si innestano dei piani obliqui: un triangolo all'estrema sinistra, una tavoletta sagomata a coda di rondine, e un'altra tavoletta incavata ad arco di cerchio indicante in negativo la forma del mandolino; il cerchio in legno incollato al centro rappresenta la rosa dello strumento. Costruita per piani intersecantisi, la scultura è caratterizzata dal particolare uso del vuoto per suggerire il volume. Il procedimento di lasciare in vista la struttura architettonica dell'opera, che influenzerà artisti quali Tatlin, Gabo, Archipenko, è facilitato dall'adozione di un materiale grezzo e omogeneo, in questo caso il legno.

Verre, pipe, as de trèfle et dé

(Bicchiere, pipa, asso di fiori e dado)

1914
Avignone
Elementi in legno e metallo dipinti su fondo dipinto a olio
Ø 34 cm, pr. 8,5 cm

Questo tableau-relief raffigurante un bicchiere, un pipa, una carta da gioco e un dado riuniti su un tavolino di bistrot, pone in luce il problema fondamentale del Cubismo e la soluzione adottata da Picasso, consistente nela passare alternativamente dal piano al rilievo. Come rappresentare degli oggetti reali a tre dimensioni su una superficie piatta? Come indicare il volume pur senza ricorrere alla prospettiva illusionistica? E come, infine, precisare l'identità globale dell'oggetto, senza limitarsi a una visuale parziale? Picasso si avvale del ricorso simultaneo a diversi procedimenti elaborati dapprima in pittura e successivamente verificati nella scultura. Così, giustappone nella medesima opera tre viste diverse, frontale, di profilo e dall'alto, e va addirittura oltre, presentando taluni oggetti direttamente in rilievo reale. Il bicchiere è delimitato a sinistra da una semplice linea sul fondo dipinto a imitazione del marmo e la stessa forma tondeggiante si ripete in azzurro all'interno del bassorilievo, mentre la metà destra è rettilinea, quasi lo sviluppo del solido avesse portato ad appiattirne le diverse facce per poi sovrapporle le une alle altre, affidando alla tecnica puntinista il compito di assicurarne la giustapposizione per trasparenza. Il fornello della pipa viene in avanti come un cilindro perpendicolare al piano del tavolo, la carta da gioco è in metallo dipinto di bianco, ritagliato al centro per ricavarne la forma dell'asso di fiori, mentre il dado, in rilievo, aggiunge i suoi quattro punti

neri al motivo del fondo. Il piano del tavolo è dipinto a trompe-l'œil in modo da imitare il marmo, come nei tavolini dei bistrots: e come in quegli oggetti familiari, tanto frequenti nelle nature morte cubiste, anche qui una modanatura in legno, il bordo stesso del pannello che costituisce il fondo – quasi certamente un "objet trouvé": sedile di sgabello o retro di uno specchio –, racchiude il "tondo" in una cornice analoga alla corda di *Natura morta con la sedia di paglia*.

Gli stessi elementi – bicchiere, dado, pipa, asso di fiori – compaiono, in diverse combinazioni, in numerosi papiers collés del 1914[1], in cui si ritrovano, ovviamente indicati da adeguate strisce di carta, anche il finito marmo e la modanatura che lo incornicia. Questo raffronto con altre tecniche consente di capire più a fondo i virtuosismi visivi e concettuali di Picasso, la trasformazione degli elementi a seconda del modo di espressione prescelto: con la stessa maestria con cui riesce a mescolare diversi punti di vista, egli sfrutta le possibilità offerte dai contrasti di tessitura e di materia, contrapponendo il legno al metallo e alla pittura, e giostra con i diversi mezzi espressivi, combinando pittura e scultura, rappresentazione e realizzazione.

1. Daix, 664-670.

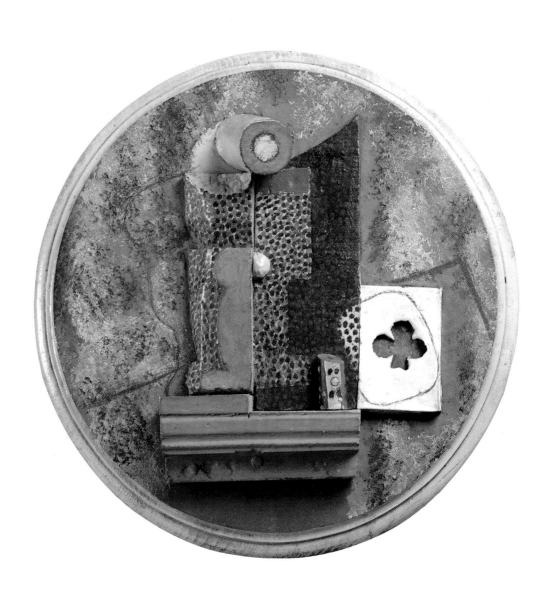

Violon

(Violino)

[1915]
Parigi
Costruzione: lamiera ritagliata, ripiegata e dipinta, filo di ferro
H. 100 cm, l. 63,7 cm, pr. 18 cm

Più direttamente derivato dal lavoro dei papiers collés, ovvero da una composizione fondata sulla sovrapposizione di piani colorati, il *Violino* del 1915 è la risultante tridimensionale del Cubismo Sintetico, vale a dire di una riduzione dell'oggetto ad altrettanti piani geometrici rettilinei che tende a privilegiare la struttura formale, l'architettura astratta dello strumento a scapito delle sue particolarità anedottiche. Intorno al 1915, Picasso abbandona lo stile decorativo del Cubismo "rococò" per un linguaggio più geometrico e rigoroso, che si riscontra ad esempio nell'*Arlecchino* del Museum of Modern Art di New York e nell'*Uomo davanti a un caminetto* (MP. 54). Il violino è identificabile dalle "esse", indicate da due rettangoli bruni allungati e cavi. Questo tipo di scultura caratterizzata da forme aperte e ritagliate e dall'inversione dei volumi era stato inaugurato nel 1912 con la famosa *Chitarra* (New York, Museum of Modern Art), realizzata dapprima in cartone e quindi in lamiera. La tecnica della ripiegatura risponde infatti alle caratteristiche

peculiari di entrambi i materiali: il metallo, nella fattispecie, viene utilizzato come un foglio piatto ripiegato in cui i volumi cavi, incorporando lo spazio reale, suggeriscono il rilievo. Se le costruzioni in legno insistevano sull'aspetto costruttivo, sull'assemblaggio di materiali diversi, quelle in metallo, più omogenee, rivelano invece la struttura interna, e in ciò si avvicinano maggiormente alla pittura. Contrapponendosi alla nozione di volume chiuso e dunque rompendo con la tradizione della scultura a tutto tondo, queste opere aprono la via al Costruttivismo: ma a differenza delle omologhe creazioni di un Tatlin o di un Rodčenko, esse rimangono solidali al piano del muro, percepite nella loro frontalità, e dunque essenzialmente pittoriche, oltre a negare la specificità del materiale occultandolo sotto uno strato di pittura. Picasso realizzò altre sculture in lamiera dipinta: *Bottiglia di Bass, bicchiere e giornale*, del 1914 (MP. 249), e la *Chitarra* del 1924 (MP. 260), la cui forma è ottenuta a partire da un'unica lamiera aperta, ritagliata e ripiegata.

Uomo davanti a un caminetto
Parigi, 1916
Parigi, Museo Picasso

Chitarra
Parigi, 1912
New York, Museum of Modern Art

Bottiglia di Bass, bicchiere e giornale
Parigi, 1914
Parigi, Museo Picasso

Chitarra
Parigi, 1924
Parigi, Museo Picasso

Portrait d'Olga dans un fauteuil

(Ritratto di Olga in poltrona)

Inverno 1917
Montrouge
Olio su tela
H. 130 cm, l. 88,8 cm

Nel 1917, durante un viaggio in Italia con Cocteau per mettere a punto gli scenari di *Parade*, Picasso incontrò Olga Koklova, una giovane ballerina della troupe dei Balletti Russi che nel 1918 sarebbe divenuta sua moglie. Il ritratto qui presentato, la cui posa deriva da un disegno eseguito nell'atelier di Montrouge, è uno dei primi che l'artista dedichi alla moglie: ritratto fedele e assai somigliante, come si può constatare dalla fotografia che gli servì di modello. Si è voluto spesso identificare nel matrimonio con Olga, figlia di un generale russo, giovane donna "assai per bene" nonché amante della vita mondana, il fattore determinante del ritorno all'ordine da parte del "rivoluzionario" cubista, e del conseguente mutamento di stile, non soltanto artistico (è l'inizio del cosiddetto periodo "neoclassico") ma anche di vita, riscontrabile nel Picasso dei primi anni Venti. Ora, se è vero che i contatti con l'ambiente del balletto, l'ambizione sociale e borghese della moglie nonché la personalità del suo nuovo mercante, Paul Rosenberg, possono aver svolto un ruolo importante nella vita di Picasso, essi non hanno comunque avuto alcuna influenza sul suo mutamento di stile. In effetti, non soltanto il ritorno alla figurazione realistica, naturalistica risale al 1914, ma, a ben guardare, il ritratto qui riprodotto non ha – malgrado l'evidente riferimento a Ingres – nulla di classico: e addirittura riprende, combinandoli con un trattamento convenzionale, alcuni procedimenti derivati dal Cubismo. L'aspetto volutamente incompiuto della poltrona, le tracce appena abbozzate del fondo vuoto e neutro formano un netto contrasto con la purezza del tratto e la minuzia dei dettagli, in particolare la trasparenza della veste, il motivo floreale, il ventaglio e i gioielli. La figura sembra quasi ritagliata e applicata sul fondo, da cui la separa un gioco di ombra, mentre lo schienale della poltrona con il suo motivo a fiori è trattato come un collage di carte da parati, e si trova sullo stesso piano del personaggio: l'insieme sembra fluttuare nello spazio, e la giovane donna non dà l'impressione di essere seduta poiché manca qualsiasi profondità illusionistica. D'altronde, l'artista ha volutamente omesso i piedi della poltrona nonché quelli della modella, che rispetto alla fotografia risulta tagliata all'altezza delle caviglie. Questa sovrapposizione di diversi spazi (quello piatto del fondo e della poltrona e quello, illusionistico, della figura) è caratteristica del duplice registro spaziale che Picasso è solito adottare simultaneamente nelle tele dell'epoca. Il particolare trattamento della figura ha l'effetto di vivacizzare la bellezza piuttosto immobile e inespressiva della donna, con i suoi lineamenti delicati, le labbra sottili, la raffinata eleganza e la naturale distinzione. Eccettuate forse le maternità, Olga dall'aria sognante e un po' triste non ispira all'artista che immagini fredde e distanti, indubbiamente indicative della natura dei loro rapporti.

Olga nell'atelier di Montrouge
Fotografata da Picasso
1917
(Archivio Picasso)

Studio per
Ritratto di Olga in poltrona
1917
(Proprietà degli eredi)

Studio per
Ritratto di Olga in poltrona
1917
(Proprietà degli eredi)

Les baigneuses

(Le bagnanti)

Estate 1918
Biarritz
Olio su tela
H. 27 cm, l. 22 cm

«Le gambe delle bagnanti denudano l'onda e la spiaggia»[1].
Eluard

A partire dal 1918, Picasso sarà solito trascorrere l'Estate al mare, dapprima a Biarritz e in seguito sulla Costa Azzurra oppure a Dinard. Questi soggiorni saranno all'origine di un nuovo ciclo di opere sul tema delle Bagnanti, il cui primo esempio è costituito da questa piccola tela realizzata nell'Estate del 1918 a Biarritz, ove Olga e Picasso si recano poco dopo il loro matrimonio, su invito della signora Errazuriz. Il tema in questione, ovvero quello della nudità femminile associata all'elemento marino, vanta un'antica tradizione che dalla Venere di Botticelli si estende fino alle Bagnanti di Cézanne, ma la sua adozione da parte di Picasso si giustifica anche alla luce della recente moda dei bagni di mare cui l'artista, per la sua stessa origine mediterranea, non poteva non essere particolarmente sensibile. Un disegno delle *Bagnanti*[2] realizzato nello stesso periodo sottolinea l'atmosfera di igiene solare, di piaceri acquatici e di libertà che caratterizza le spiagge.

Questa tela dall'apparenza monumentale malgrado il formato ridotto riunisce numerosi riferimenti pittorici: allusioni alle vedute di Port-en-Bessin di Seurat (il faro, il molo, il trattamento a fasce orizzontali del cielo e del mare), al manierismo italiano (allungamento dei corpi, esecuzione levigata e precisa, colori acidi), al primitivismo di Rousseau (schematicità e geometrizzazione delle forme, realismo e minuzia dei dettagli) e, infine, allo stile "gotico" di Derain (articolazioni angolose), ma l'influenza più palese è ovviamente quella di Ingres, e in particolare del *Bagno turco*. In realtà, la lettura picassiana di Ingres è, in quest'epoca, assai più radicale poiché tende a portare alle estreme conseguenze le lezioni del "deformatore", «liberando perciò Ingres dal complesso di Raffaello»[3]: allungamento dei corpi, "contorsioni da invertebrati", libertà del disegno che costringe l'anatomia a piegarsi alle leggi di un ritmo puramente plastico, a un gioco di curve e di arabeschi. Il trapasso dalla deformazione al mostruoso, che in Ingres è soltanto adombrato, trova particolare eco in Picasso che negli anni avvenire sottoporrà il corpo femminile a tutte le possibili metamorfosi per conferirgli il più alto grado di espressività formale. Queste deformazioni anatomiche — nel caso presente, torsione e allungamento, in opere successive sproporzione e gigantismo — si ricollegano anche agli studi di ballerine che Picasso realizzerà in occasione dei contatti avuti con la troupe dei Balletti Russi.

Opera che l'artista volle conservare per il suo valore di punto di riferimento, questa tela occupa un posto a parte nella sua produzione, che non abbonda di corpi filiformi dalle membra affusolate, e in cui il minuzioso realismo, la grazia sinuosa, la pulizia e il primitivismo dell'esecuzione sono assai rari: normalmente, Picasso ha una visione ben più generosa della donna.

La prosaicità di queste Veneri moderne fasciate da costumi a righe, le forme biomorfiche delle rocce e dei ciotoli, l'immobilità del mare, le Bagnanti pietrificate nei loro gesti e l'atteggiamento estatico della figura in piedi, con la sua capigliatura medusea, conferiscono alla scena, pur immersa in una luce trasparente, un carattere arcano curiosamente minaccioso, un'atmosfera surrealistica che si ritroverà anche in certe marine di Tanguy, e successivamente nella serie delle Bagnanti di Dinard del 1928 e del 1929.

1. Paul Eluard, *A Pablo Picasso*, 1927.
2. Z.III, 233.
3. Pierre de Champris, *Picasso, ombre et soleil*, Gallimard, Parigi 1960, p. 90.

Bagnanti (particolare)
Biarritz, 1918
Cambridge, Fogg Art Museum

Ingres, *Il bagno turco*
1859-1863
Parigi, Musée du Louvre

Femme assise

(Donna seduta)

1920
Parigi
Olio su tela
H. 92 cm, l. 65 cm

Le fattezze massicce, pesanti, potentemente modellate di questa *Donna seduta* dal corpo enorme sottolineano l'interesse di Picasso per la statuaria dell'antica Roma. Le colossali figure femminili di questa serie del 1920-1923 presentano tutte i medesimi occhi grandi, dalle palpebre pesanti e l'espressione vacua, il medesimo naso in linea con la fronte: «Giunoni dagli occhi di mucca che con le grandi mani quadrate trattengono drappi di pietra»[1].

Anche la veste bianca ampiamente drappeggiata è un riferimento all'antichità, ma come nelle tovaglie delle *Nature morte* di Cézanne, le pieghe paiono di pietra e il tessuto acquista la stessa consistenza del corpo. Questo inconsueto modellato rende quanto meno ambigua la lettura dell'opera, evidenziandone i riferimenti scultorei. In effetti, Picasso conferisce a queste gigantesse la solidità, la pesantezza di altrettante statue, nonché mani e piedi smisurati rispetto al corpo per accentuarne il carattere monumentale. La posizione raccolta, che chiude la figura in un triangolo sorretto da un piede a quattro dita largo come un pilastro, sottolinea l'aspetto monolitico della donna. Il gesto della mano evoca l'atteggiamento di abbandono di certe pose ingresiane, ma qui la sensualità lascia il posto a una sorta di greve e immobile fantasticare, vuoto di ogni espressione.

Il gigantismo, le proporzioni eccessive rispecchiano ovviamente un'immagine simbolica della donna, ma hanno altresì una funzione sul piano più propriamente pittorico, in quanto rispondono anch'essi all'esigenza di palesare, di esprimere un'altra realtà. Se ai tempi del Cubismo Picasso giustapponeva tutte le sfaccettature di un oggetto e ne moltiplicava le vedute in una ricerca analitica – e successivamente sintetica – della sua verità, della sua struttura interna, qui egli ricorre invece a un altro procedimento e, forte della libertà acquisita, nonché consapevole della realtà oggettuale del quadro, tende a dispiegare le membra sulla superficie della tela, a dilatarle e gonfiarle in modo che abbiano tutte lo stesso valore, la stessa solidità, e che occupino completamente lo spazio del dipinto.

Il tema della *Donna seduta* o *Donna in poltrona*, il cui primo esempio è costituito da una tela del 1895, la *Ragazzina scalza* (MP. 2), figura assorta, immobile, che guarda ed è guardata, è uno dei motivi prediletti dell'artista che, con soluzioni diverse, lo riperderà lungo tutta la propria opera.

1. Jean Cocteau, *Picasso*, Stock, Parigi 1923.

La ragazzina scalza
La Coruña, 1895
Parigi, Museo Picasso

La lecture de la lettre

(La lettera)

1921
Parigi
Olio su tela
H. 184 cm, l. 105 cm

Nei due amici intenti a leggere una lettera ritroviamo non solo i volti dei personaggi del *Flauto di Pan* (1923; cfr. p. 40), ma anche un identico trattamento delle mani, pesanti e quadrate, e lo stesso atteggiamento assorto che sembra unirli in una comunione di pensiero. «Tela più enigmatica di ogni altra, *La lettera*, courbettiana nella resa delle vesti e michelangiolesca nell'espressione dei volumi, è innanzi tutto un'opera a chiave, indubbiamente l'evocazione allusiva di un'amicizia. Forse, quella con il poeta Apollinaire, quella con il compagno dell'avventura cubista Braque. La bombetta in primo piano è lo stesso cappello che figura nei ritratti di Apollinaire e di Braque, e i libri e la lettura sono gli attributi del poeta e dello scrittore»[1].

Ipotesi giustificata per quanto riguarda Apollinaire, poiché il 1921 è anche l'anno in cui Picasso dipinge *I tre musicanti*, testamento del Cubismo ma altresì testamento spirituale, i cui personaggi raffigurano l'artista stesso, Apollinaire e Max Jacob; ed è l'anno in cui si riunisce per la prima volta il comitato diretto da Serge Férat per il monumento a Guillaume Apollinaire[2]. Altra allusione al Cubismo è il cappello[3], chiamato talora anche "Cronstadt" o "cappello di Cézanne" e che figura

inoltre in una natura morta del 1909[4]. Comunione spirituale, infine, in una nuova forma di classicismo: l'influenza di Apollinaire sull'ispirazione classica dell'artista[5] fu altrettanto se non più importante di quella di Cocteau. «Cerco di innovare lo stile poetico, ma in uno stile classico», scriveva ad esempio; o ancora, alludendo alla ferita riportata in guerra: «una bella Minerva è il parto della mia testa». Se il tema dell'amicizia virile, già affrontato negli *Adolescenti* di Gosol e ripreso poi in queste due coppie del 1921 e del 1923, rimane per taluni aspetti difficile da interpretare, la sua adozione è nondimeno significativa poiché rivela i sentimenti profondi, fraterni e fedeli che uniscono Picasso ai suoi amici.

1. Dominique Bozo, prefazione al catalogo *Picasso: œuvres reçues en paiement des droits de succession*, Parigi, Grand Palais, 1979-1980.
2. T. Reff, *"Picasso's Three Musicians: Masters, Artists and Friends"*, in: «Art in America», Dicembre 1980.
3. La bombetta era anche il cappello preferito da Apollinaire: si veda la fotografia del 1902 riprodotta in P.M. Adéma, *Guillaume Apollinaire*, La Table ronde, Parigi 1968.
4. Z.II, 84.
5. «Vorrei poterti mostrare dei grandi quadri come quelli di Poussin...», gli scrive ad esempio nel 1918 (Archivio del Museo Picasso).

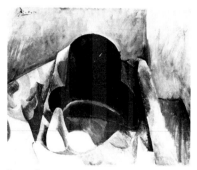

Il cappello
Parigi, 1909
Stati Uniti, coll. privata

Deux femmes courant sur la plage (La course)

(Due donne che corrono sulla spiaggia) (La corsa)

Estate 1922
Dinard
Guazzo su compensato
H. 32,5 cm, l. 41,1 cm

«C'était un temps béni nous étions sur les plages
Va-t'en de bon matin pieds nus et sans chapeau»[1].
Apollinaire

L'impatto visivo di quest'opera, che non è eccessivo definire frenetica, nasce dall'antinomia fra il peso marmoreo e la leggerezza di movimenti delle due gigantesse che, malgrado le membra grevi e massicce, sembrano sul punto di spiccare il volo trascinate dal ritmo della corsa. Quanto più grande è il divario fra due immagini contraddittorie, tanto più forte è la tensione, l'energia che proietta i due corpi nello spazio. Picasso si serve di diversi espedienti formali atti a suggerire questa impressione di dinamismo: i capelli e le vesti svolazzanti, la testa arrovesciata di una delle donne – in una posizione che ricorda quelle della dea Teti nel quadro di Ingres al Musée Granet di Aix-en-Provence, e della Bagnante in piedi nel quadro omonimo del 1918 –, il volto visto di sbieco dell'altra, la robustezza dei corpi e soprattutto la direzione delle linee di forza, diagonale e orizzontale, che strutturano la composizione. Lo slancio ascensionale è infatti espresso dal triangolo formato dalle due oblique convergenti delle braccia, mentre il braccio più grande, proteso in avanti come una freccia e prolungato in senso opposto dalla gamba slanciata all'indietro, dà l'impressione di uno smisurato allungamento che suggerisce l'idea della velocità.

Il modello delle donne è fornito da alcuni studi di bagnanti che danzano sulla spiaggia, e da altri eseguiti in occasione di incontri con la troupe dei Balletti Russi, ma il riferimento all'antichità implicito nei drappeggi sembra indicare anche un influsso di certe menadi scolpite o dipinte dell'antica Grecia.

E non è un caso che Picasso abbia scelto questo guazzo come bozzetto per la decorazione del sipario del *Train bleu* (1924), un balletto di Diaghilev su musica di Darius Milhaud e con testo di Jean Cocteau ambientato in una spiaggia alla moda e la cui azione celebra il culto della vita all'aria aperta, del nudismo e dello sport.

L'opera qui riprodotta offre un perfetto esempio della reinterpretazione personale cui Picasso sottopone il classicismo adattandolo ai fini della propria ricerca: dal ribaltamento prospettico, per cui la mano in primo piano appare più piccola di quella in secondo piano, alle sproporzioni, alla collocazione del seno sinistro, ogni elemento sovverte i canoni figurativi tradizionali, giustificando la definizione di Pierre Daix che parla di «classicismo trabocchetto». L'esperienza cubista unita alla lettura di Ingres assicura a Picasso una completa libertà di figurazione che egli avrà modo di approfondire nelle *Metamorfosi*.

Bagnanti
Parigi, 1921

1. Guillaume Apollinaire, *Les Saisons*, 1915.

Famille au bord de la mer

(Famiglia in riva al mare)

Estate 1922
Dinard
Olio su tavola
H. 17,6 cm, l. 20,2 cm

Opera soffusa di poesia e di mistero, monumentale malgrado l'esiguità del formato, la *Famiglia in riva al mare* può essere interpretata come una visione della "paternità". I tre personaggi non possono essere che Olga, Paulo (nato nel 1921) e l'artista stesso: immagine triangolare della famiglia, la cui base sarebbe costituita dal corpo disteso del giovane padre e il vertice dalla testa china, vigile e protettiva della madre.

La donna sembra infatti vegliare al tempo stesso sul figlio e sul marito, che non a caso si è raffigurato in atto di dormire, in una posa pudica e riservata, con una mano poggiata sul ventre a coprire il sesso.

Il gesto simbolico del bambino, che protende un dito a toccare l'orecchio del padre, è accompagnato e sorretto dal braccio della madre: tutti i legami carnali si ricostituiscono, alludendo alla procreazione.

Questa rappresentazione inconsueta della *Famiglia* di cui esistono diversi disegni preparatori[1] e che può essere accostata alla *Maternità*[2], si differenzia nettamente dalle tradizionali e classiche immagini di maternità eseguite dall'artista negli stessi anni, benché l'idea di base sia sempre quella della sottomissione alla madre trionfante, alla donna nutrice. La posizione dei personaggi evoca un tema frequente nell'opera picassiana, quello dell'*Uomo e della donna dormiente*, ma per una curiosa inversione di ruoli quì è la donna a contemplare l'uomo addormentato: perché, allora, non vedervi – ipotesi confortata dalla presenza degli elementi antichi – un Ulisse abbandonato dalle onde sulla spiaggia e scoperto da Nausicaa?

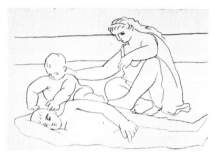

Foglio di taccuino
1922
(Proprietà degli eredi)

1. Z.V, 173, 174.
2. Z.V, 176.

La flûte de Pan

(Il flauto di Pan)

Estate 1923
Antibes
Olio su tela
H. 205 cm, l. 174 cm

Unanimemente riconosciuto come il capolavoro del periodo neoclassico, ed evidentemente considerato dal suo stesso autore una pietra miliare nella propria opera, è questo uno dei dipinti da cui Picasso non si separava mai e che conservò sempre appeso nel proprio atelier. Le analisi al riguardo non si contano, ma tutti i critici concordano nel sottolineare la maestosa semplicità, il nobile rigore della composizione e il suo carattere profondamente mediterraneo. «In uno scenario palesemente mediterraneo, due giovani pastori o pescatori dalle forme massicce e potentemente modellate si stagliano su uno sfondo di mare e di cielo, l'uno seduto e intento a suonare e il suo compagno in piedi, con l'aria assorta, e il peso del corpo interamente appoggiato su una gamba. L'equilibrio della composizione si fonda sul contrasto tra due pose tipo della plastica occidentale. Attraverso una tradizione umanistica che da Cézanne a Giotto risale fino ai frontoni di Olimpia, Picasso resuscita quell'universo di rustica nobiltà e di armoniosa pienezza in cui viviamo solo con la nostalgia»[1].

Quanto a Reverdy, vi vede l'applicazione della regola fondamentale del classicismo, quella della subordinazione delle parti al tutto. «Non una posa, non un gesto che non sia la mera risultante plastica del procedimento impiegato. Non una testa, un corpo o una mano che per forma o posizione non siano unicamente ed esclusivamente funzionali all'espressione dell'insieme; non altri significati che la costituzione plastica del quadro»[2].

Anche gli influssi e le fonti sono stati oggetto di numerose indagini, che hanno portato a isolare soprattutto *Il Bagnante* di Cézanne, l'*Apollo e Marsia* del Perugino, *Pan e le Ninfe* (affresco di Pompei) e *Pan e Dafni* (gruppo scultoreo conservato al museo di Napoli). André Fermigier fa tuttavia osservare che «malgrado queste evidenti reminiscenze antiche, l'atmosfera del quadro non è ovviamente quella dell'idillio classico e della pastorale. Titiro e Melibeo ci appaiono qui come due giovani contadini o pescatori dai corpi potenti e privi di grazia, con mani e piedi massicci, che non indossano sapienti drappeggi bensì dei costumi da bagno piuttosto rozzi che ne sottolineano l'aspetto popolaresco.

Nessuna idealizzazione, dunque, in quest'opera, di cui non occorre sottolineare il carattere 'cubista' del trattamento delle membra, e che evoca le bagnanti di Cézanne molto più di quanto non faccia pensare agli atleti michelangioleschi. Il Flauto di Pan è in realtà l'opera più cézanniana che Picasso abbia mai realizzato: ci troviamo di fronte a un autentico 'Poussin dal vero', a un Cézanne d'annata (1923), a un quadro che sostiene il confronto con quelli del maestro di Aix per il perfetto equilibrio fra la nobiltà della visione e l'osservazione fedele della più banale realtà»[3].

Completano il panorama parecchi disegni del 1923 raffiguranti un adolescente riccioluto di tipo greco oppure in compagnia di personaggi femminili in atto di suonare lo strumento pastorale che dà il titolo al quadro.

L'elemento più sconcertante della tela rimane comunque lo sfondo, formato da cubi di diverse dimensioni e da due grandi quinte che chiudono lateralmente le due fasce orizzontali rappresentanti il cielo e il mare. Ne risulta uno spazio che evoca quello scenico, e che tende a racchiudere i personaggi e a suggerire la profondità, oltre a creare un effetto di contrasto con il rilievo dei corpi. E poiché un simile fondo astratto, geometrico e del tutto artificiale rispetto alla scena è un elemento alquanto raro a paragone dei coevi dipinti di bagnanti, le cui figure si stagliano sempre su un fondo naturalistico, si ha ragione di pensare che la tela non intenda presentare una semplice evocazione antica, e che i due personaggi così collocati in un ambiente fittizio, teatrale, possano raffigurare due persone reali, vicine a Picasso e in qualche modo legate alla sua ispirazione neoclassica. L'ipotesi è confortata dal fatto che questa coppia virile, simbolo dell'amicizia, costituisce l'esatto "pendant" di quella raffigurata nella *Lettera* ed è, al tempo stesso, un'eco degli *Adolescenti* di Gosol.

1. J. Leymarie, *Picasso: Métamorphoses et Unité*, Skira 1971.
2. P. Reverdy, *Les Peintres Français Nouveaux*, Parigi 1924.
3. A. Fermigier, *Picasso*, Livre de Poche 1969, p. 161.

Giovane nudo con specchio, nudo, ragazzo che suona il flauto di Pan
1923

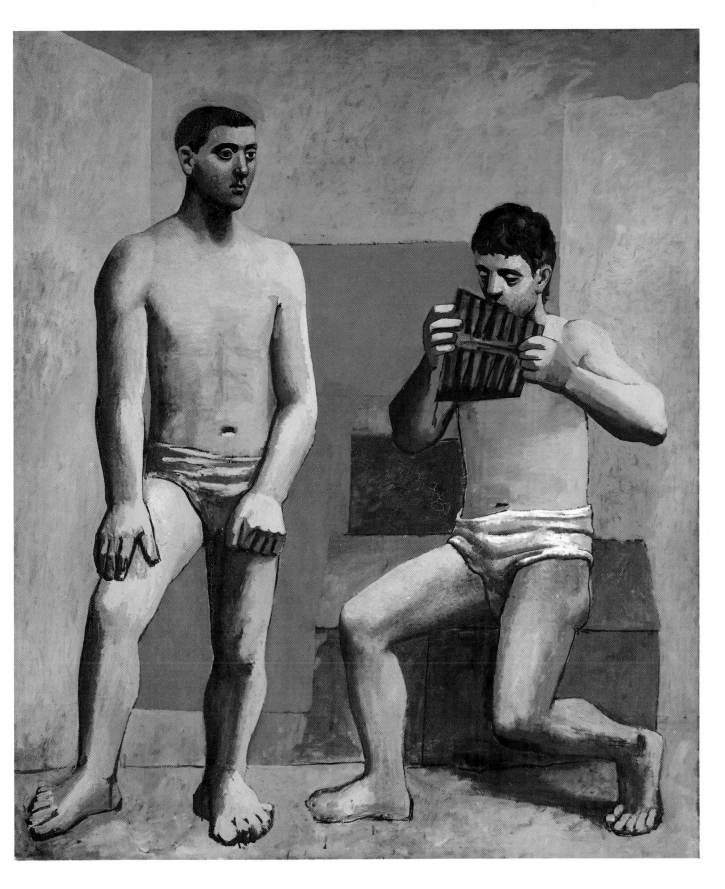

Paul en arlequin

(Paul in costume di Arlecchino)

1924
Parigi
Olio su tela
H. 130 cm, l. 97,5 cm

Picasso ha sempre mostrato una particolare predilezione per il tema dell'infanzia, dal *Bimbo con colomba* del periodo blu fino al *Giovane pittore* (MP. 228) degli ultimi anni, per non parlare dei numerosi ritratti dei suoi stessi figli, Paulo, Maya e, più tardi, Claude e Paloma. Come Goya, Reynolds o Renoir, anch'egli eccelle nell'esprimere l'intero registro emozionale suscitato dalla figura infantile: tenerezza, fragilità, innocenza, sogno e gioco.

Questa tela, raffigurante Paul all'età di tre anni, fa parte di una serie di ritratti pressoché coevi, due dei quali conservati anch'essi al Museo Picasso: *Paul che disegna* (MP.81) e *Paul in costume di Pierrot* (MP.84). Il carattere incompiuto dell'opera – che conserva anche la traccia di un pentimento –, il fondo neutro grigio-beige, la precisione e la minuzia di taluni dettagli, nonché il particolare stesso della poltrona, evocano il *Ritratto di Olga* (cfr. p. 28). Poiché il tema dell'Arlecchino occupa, come è noto, un posto fondamentale nell'opera di Picasso, il fatto che il bambino indossi il celebre costume a losanghe può essere interpretato come un'identificazione idealizzata del padre con il figlio, tnato più che quest'ultimo fissa sullo spettatore gli stessi occhi grandi e scuri dell'artista. La fragilità di Paulo, la sua irrealtà sono accentuate dalla posa instabile, con una gamba ripiegata. Anch'egli, come Olga, dà l'impressione di non essere veramente seduto e neppure appoggiato alla poltrona, ma si staglia sul fondo scuro come la figura di una carta da gioco, richiamando alla mente *Il suonatore di piffero* di Manet. Così, egli sembra fluttuare come un'apparizione, e questo suo aspetto è accentuato dai piedi lasciati incompiuti, sigificativa variazione rispetto allo schizzo originario le cui linee tuttora visibili mostrano un personaggio saldamente piantato sulle due gambe.

Per il suo aspetto levigato e quasi di porcellana, per la delicata precisione nella resa dei lineamenti, che dimostrano la padronanza classica raggiunta in quell'epoca dall'artista, il ritratto può figurare a buon diritto insieme a quelli dei bambini della famiglia reale eseguiti da Goya.

Paul che disegna
Parigi, 1923
Parigi, Museo Picasso

Paul in costume di Pierrot
Parigi, 1925
Parigi, Museo Picasso

Le baiser

(Il bacio)

Estate 1925
Juan-les-Pins
Olio su tela
H. 130,5 cm, l. 97,7 cm

Molti sono gli aspetti che contribuiscono a fare del *Bacio* un quadro assolutamente eccezionale. Opera pressoché inedita, esso è stato oggetto di numerosi errori di interpretazione: Zervos gli attribuisce il titolo di *Donna seduta*[1], mentre sul catalogo di Roma del 1953[2] è indicato con quello di *Sulla spiaggia*, e queste stesse divergenze sul tema – scena di interno o di esterno – sono indicative della difficoltà di lettura della tela, nonché di quella sorta di schermo percettivo, di "blocco", che impedì ai critici di riconoscerne il vero soggetto. Eccezionale inoltre per le folgoranti anticipazioni stilistiche che propone, *Il bacio* è un'opera la cui importanza, scoperta solo di recente, è pari a quella della *Danza* (Londra, Tate Gallery) che la precede di poco (Giugno 1925). La tela fu realizzata durante una vacanza estiva che l'artista trascorse in compagnia della moglie e del figlio a Juan-les-Pins, nel 1925: e sia il luogo che la data dell'esecuzione si riflettono sull'opera stessa.

Il 1925 è infatti per Picasso un anno di rottura, una svolta, ciò che conferisce al dipinto, sia pure in misura diversa, la stessa aggressività, lo stesso impatto visivo che contraddistinguono *La danza*: scomposizione delle forme piatte, smembrate e assemblate liberamente come in un puzzle, effetti esasperati, deformazioni, compenetrazione di piani e motivi, dello spazio illusionistico e di quello cubista, esplosione di colori stridenti, sono altrettante caratteristiche presenti in entrambe le opere.

Anno di rottura, dunque: e se la svolta coincide con l'avvento del Surrealismo, con le nuove parole d'ordine di "bellezza convulsiva" e di liberazione degli istinti, sul piano privato essa segna l'inizio di quelle tensioni e conflitti coniugali con Olga che susciteranno in Picasso una violenta aggressività nei confronti della donna.

Quando a Juan-les-Pins, ove a partire dal 1920 l'artista effettua frequenti soggiorni estivi (nel 1924, 1925, 1926), esso è all'origine di un periodo assai particolare e non ancora sufficientemente approfondito della sua opera, periodo che si inaugura con un piccolo paesaggio del 1920 (MP. 68), per proseguire con il famoso taccuino "astratto" a base di punti e di linee, con le grandi nature morte variopinte (*Mandolino e chitarra, Atelier con calco in gesso*) (New York, Museum of Modern Art), e infine con *Il bacio*. È questa l'unica ottica che consenta un approccio adeguato alla tela, tanto è vero che il solo raffronto con due disegni del taccuino di Juan-les-Pins del 1925 (MP. 1870, pp. 4 e 44) basta a spiegarne le fonti e il funzionamento. E proprio questi impliciti riferimenti giustificano l'adozione da parte di Venturi del titolo *Sulla spiaggia* con cui il dipinto è citato nella prefazione al catalogo di Roma, titolo che a quanto pare non fu smentito dall'artista. Ma nella letteratura dell'epoca manca qualsiasi allusione al tema del bacio: eppure, come non riconoscere in quell'esplosione di colori e di forme l'ardore di un uomo e di una donna avvinti in un abbraccio? È bensì vero che Picasso sembra aver volutamente complicato la lettura, unendo i corpi in un groviglio inestricabile, sovvertendo l'ordine e la posizione di organi e membra, ricorrendo insomma a ogni possibile espediente plastico per esprimere tutta la rabbia erotica, il furore sessuale, l'attrazione e la repulsione e, soprattutto, la completa fusione che caratterizzano l'atto del bacio.

A sinistra, si riconosce la figura dell'uomo, con il suo occhio-bersaglio e il naso a forma di proboscide fallica; la bocca, al tempo stesso occhio e sesso femminile, è una sola per entrambi i volti, la cui fusione è sottolineata inoltre da un fascio di righe orizzontali nonché dal suddetto sistema di complessa compenetrazione di organi. La testa della donna vista di profilo e dall'alto è riversa all'indietro: l'uomo le cinge il collo con il braccio sinistro, che l'avviluppa strettamente trattenendola per i capelli; e si direbbe perfino che le abbia immobilizzato le braccia dietro la schiena, stringendola quasi in una morsa, il che spiegherebbe la posizione del braccio rosso appartenente alla donna, e che si contrappone a quello rosa e peloso dell'uomo. A sinistra si distingue una gamba bruna, come di cartone ondulato, completata da un piede bianco e rotondo, e in basso a destra la suola chiodata di una scarpa: due elementi che hanno la funzione di bloccare la figura femminile, racchiudendola più saldamente fra le membra dell'uomo. I piedi della donna, visibili in basso al centro, appaiono sollevati da terra e con le dita allargate per effetto dello sforzo di resistenza o del piacere. Il loro trattamento a forma di chiodi richiama quello della *Danza* e di altre tele dell'epoca, così come il seno nero a forma di campana avviluppato dalla grande mano dell'uomo.

Foglio di taccuino
1925
Parigi, Museo Picasso

Foglio di taccuino
1925
Parigi, Museo Picasso

Si nota infine l'inserimento, nella parte bassa della tela, di quel curioso segno, al tempo stesso sole e ano, che ricomparirà nei nudini degli anni Trenta dipinti a Boisgeloup e in cui si può vedere una sorta di allusione anticipatrice a Bataille: "l'ano solare".

La quadrettatura centrale può essere interpretata come un motivo decorativo indicante l'abito della donna, oppure come un procedimento pittorico derivato dalle griglie cubiste e inteso a suggerire la trasparenza. Si tratta, ancora una volta, di un elemento presente nella maggior parte dei disegni dei taccuini di Juan-les-Pins: qui, esso ha comunque la funzione di esprimere la rete simbolica che unisce l'uomo e la donna nel bacio. Rosenblum[3], identificando in taluni elementi altrettanti dettagli di vestiario o di arredamento, interpreta la scena come la lotta fra l'impulso istintivo e i condizionamenti dell'ambiente moderno, o come l'illustrazione del conflitto Picasso/Olga, in cui la spontaneità del desiderio si scontrerebbe con le costrizioni dell'abbigliamento.

È tuttavia opportuno ricordare che questa scrittura plastica, nata dai disegni astratti a punti e linee, ha la stessa matrice della scrittura "automatica", e che talune forme sono dunque il prodotto del "caso".

Tela deliberatamente violenta e indicativa dello humour aggressivo e anarchico di Picasso e della sua ostentata barbarie: le qualità stesse dell'opera ci aiutano a capire le ragioni della sua costante permanenza nello studio dell'artista.

1. Z. V, 460.
2. Catalogo *Picasso*, Roma-Milano 1953, tav. 19.
3. R. Rosenblum, *Picasso from the Musée Picasso, Paris*, Walker Art Center, Minneapolis 1980.

Paesaggio di Juan-les-Pins
1920
Parigi, Museo Picasso

Il bacio
1969
Parigi, Museo Picasso

Il bacio
Dinard, 1929
Parigi, Museo Picasso

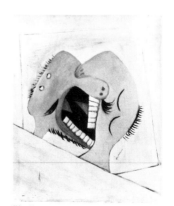

Il bacio
Parigi 1931
Parigi, Museo Picasso

Guitare

(Chitarra)

Primavera 1926
Parigi
Corde, carta di giornale, strofinaccio e chiodi su tela dipinta
H. 96 cm, l. 130 cm

«All'incirca in quello stesso periodo, Picasso fece una cosa assai grave. Prese una camicia sporca e la applicò su una tela cucendola con ago e filo. E poiché per lui, in un modo o nell'altro, c'è sempre di mezzo una chitarra, stabilì che potesse trattarsi, ad esempio, di una chitarra. E fece un collage con dei chiodi che sporgevano dal quadro»[1].
Aragon

La "cosa grave" di cui parla Aragon è, in realtà, una delle creazioni più forti, più irriducibili dell'arte picassiana, giacché al di là della mera invenzione formale, tecnica e delle sue conseguenze, al di là della violenza che vi si esprime, appare animata da indefinibili forze malefiche connesse alla componente magica che caratterizza l'opera del pittore.

Questa tela è inseparabile da un'altra chitarra che ne costituisce una sorte di "pendant": nell'una, i chiodi sono piantati nel supporto, nell'altra sporgono invece aggressivamente verso lo spettatore. La povertà, il miserabilismo di quegli stracci sporchi e laceri – l'uno divaricato come su una croce, l'altro squarciato da un grande foro –, gli spaghi che trafiggono le tele, i chiodi e gli strappi, tutto concorre a creare un'impressione di disagio, di dolore e di straniamento che conferisce alle opere una dimensione di «sacro orrore»[2]. «Nessun tocco di morbidezza, né di linea né di colore, interviene a temperare il crudo impatto del quadro. È un'espressione di collera aggressiva e potente in un linguaggio che lo rende dolorosamente chiaro», scrive R. Penrose[3]. Per sottolinearne la dimensione sadica di arte "crudele", Picasso aveva addirittura pensato di inserire negli angoli delle lamette da rasoio in modo che fosse impossibile maneggiare l'opera senza tagliarsi.

La scelta del tessuto come materiale di base e la tecnica del "piquage", della cucitura con ago e filo sono caratteristiche presenti anche in una serie di piccole chitarre in cartone con ritagli di tulle, spago e chiodi, realizzate in quello stesso periodo. Gli schizzi delle opere figurano d'altronde fianco a fianco sulla medesima pagina di un taccuino: e il disegno permette inoltre di precisare l'orientamento verticale della chitarra, in cui la presenza della corda e del chiodo, evocando l'immagine convenzionale di un quadro appeso al muro, poteva dar luogo a qualche ambiguità. Se la composizione della chitarra con il foglio di giornale ricorda quella dei papiers collés e delle chitarre cubiste, lo spirito e la tecnica dell'opera sono comunque del tutto differenti. In primo luogo, non si tratta più di collage bensì di assemblage e, d'altro canto, i materiali prescelti – in questo caso, un brandello di camicia e uno strofinaccio – sono utilizzati al naturale, per il loro potere suggestivo piuttosto che per la loro specificità formale. Questo intento di conferire dignità al materiale di scarto, di inserire la realtà quotidiana nell'universo artistico coincide con il credo surrealista, che tende a spezzare le frontiere fra l'arte e la vita, a disorientare lo sguardo estetico, producendo un forte impatto sullo spettatore. Il carattere drammatico dell'opera non mancò d'altronde di colpire i surrealisti, che nel 1926 ne presentarono una riproduzione sulla «Révolution surréaliste».

L'impiego stesso dei chiodi non presenta che un'analogia assai lontana con quelli a trompe-l'œil delle tele cubiste o con i chiodi normalmente destinati ad appendere i quadri. Né, d'altro canto, essi si riducono a meri simboli di aggressività o a semplici metafore sessuali: si tratta di vere e proprie armi magiche. Nella disposizione e nel numero si richiamano infatti direttamente a certi feticci dell'arte primitiva, nonché

alla tradizionale pratica stregonesca consistente nel trafiggere con aghi o chiodi un fantoccio o un attributo della persona cui si vuol nuocere. Lydia Gasman[4] vede nelle due opere un'espressione della lotta tra due forze antinomiche, ovvero fra il Destino, o la Morte, e l'artista stesso. Conoscendo la superstizione di Picasso nei confronti degli indumenti e le sue tendenze feticistiche, nonché la situazione conflittuale instauratasi fra lui e la moglie, non si può non trovare suggestiva l'ipotesi di interpretazione proposta dalla studiosa, secondo cui la prima chitarra sarebbe una sorta di autocrocifissione da parte dell'artista, rappresentato dalla propria camicia trafitta, mentre la seconda indicherebbe gli impulsi omicidi nei confronti di Olga, simboleggiata dallo strofinaccio, attributo della vita domestica. Questa dimensione segreta e magica delle due opere trova d'altronde conferma nel fatto che Picasso le abbia sempre conservate gelosamente. In un'intervista rilasciata a Carlton Lake[5], egli stesso sottolinea inoltre l'affinità fra la propria chitarra e le pitture di Lascaux e di Altamira.

La stessa concezione simbolica del chiodo traspare in taluni suoi testi poetici[6]: «i chiodi del destino ciecamente confitti nei corpi», «il fazzoletto inchiodato alla finestra», «stracci crocifissi».

1. Louis Aragon, *La Peinture au défi*, 1930.
2. G. Bataille, *Manet*, Skira, Parigi.
3. R. Penrose, *Picasso*, Flammarion, Parigi 1982, p. 299.
4. L. Gasman, *Mystery, Magic and Love in Picasso, 1925-1937*, (tesi), Columbia University, 1981.
5. Carlton Lake, *Picasso's speaking*, in «The Atlantic Monthly», Luglio 1957.
6. *Les Quatre Petites filles*, 1952, *Poèmes, lithographies*, 1949, *Poème*, 1935, in: J. Sabartès, *Picasso, Portraits et souvenirs*, 1946.

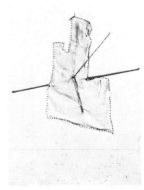

Chitarra
Parigi, 1926
Parigi, Museo Picasso

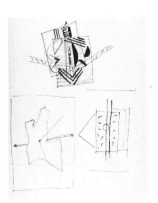

Foglio di taccuino
1926
(Proprietà degli eredi)

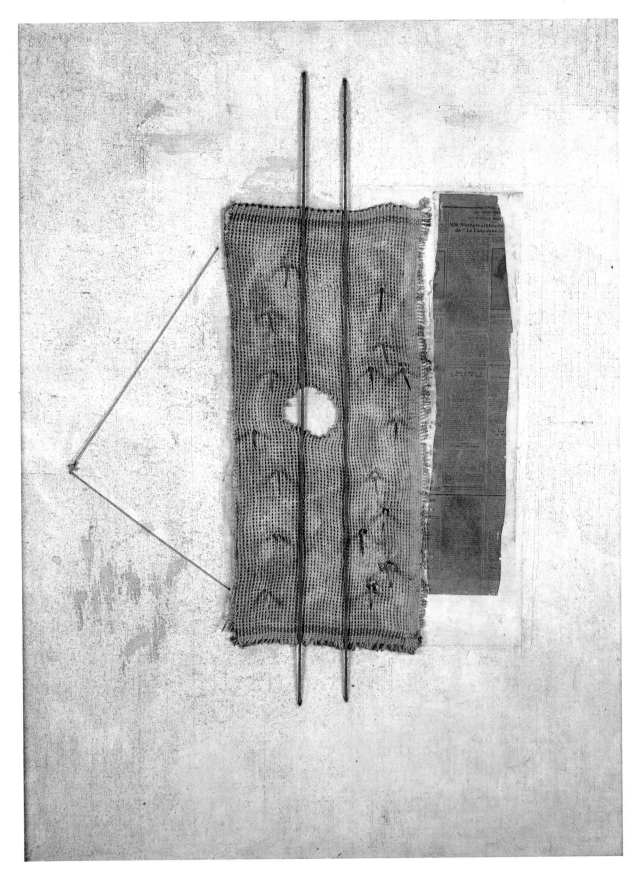

Le peintre et son modèle

(Pittore e modella)

1926
Parigi
Olio su tela
H. 172 cm, l. 256 cm

Questa grande composizione in bianco e grigio è il punto di partenza di infinite variazioni, sia stilistiche che tematiche. Coevo a un'altra grande tela a *grisaille* (*L'Atelier della modista*, Parigi, Musée National d'Art Moderne) che con la sua combinazione di forme curve ne costituisce una sorta di contrappunto positivo, *Pittore e modella* inaugura infatti, sulla scia del cosiddetto Cubismo curvilineo, un grafismo il cui tratto si dipana e si intreccia in curve sinuose formando via via il disegno di diverse figure. Prossima alla scrittura automatica, in cui la matita si muove liberamente assecondando una pulsione non controllata dal soggetto, questa scrittura pittorica presenta interessanti collegamenti con i disegni e gli studi, pressappoco coevi, per l'illustrazione dello *Chef-d'œuvre inconnu* di Balzac. In uno di essi, Picasso ha raffigurato il pittore seduto di fronte alla donna che lavora a maglia, e intento a ritrarla mediante un vero e proprio "gomitolo" di linee tracciate sulla tela. Anche qui, un reticolo di arabeschi definisce le due figure, indizio dei complessi rapporti che uniscono il pittore alla modella ma anche diretta allusione al quadro di Frenhofer, il protagonista del *Chef d'œuvre inconnu*, poiché nel groviglio di linee non rimane più alcun elemento identificabile, se non un piede.

Quello del pittore e la modella è uno dei temi essenziali dell'opera picassiana: inaugurato nel 1914 (MP.53), sviluppato nella serie degli *Ateliers* del 1927-1928, e successivamente nella *Suite Vollard*, esso trova la sua più compiuta espressione nel ciclo che l'artista gli dedicherà negli anni Sessanta. Faccia a faccia fra l'uomo e la donna, fra il pittore e il suo modello, fra il desiderio e lo sguardo, la vita e l'arte, il tema è la raffigurazione simbolica dell'atto stesso della creazione.

L'artista, a destra, facilmente riconoscibile dalla tavolozza, è caratterizzato dalla testa sdoppiata e dall'anarchica disposizione dei diversi organi, specialmente gli occhi, che preannuncia uno stilema dei quadri a venire, mentre la donna che lo fronteggia si riduce a una testa minuscola in cima a un lungo collo, a due mani di dimensioni diverse e a un enorme piede. Sullo sfondo si distingue il fianco di una tela completo di chiodi, e un piccolo quadro raffigurante una testa lunare bianca e nera, caratteristica della produzione picassiana dell'epoca.

In quest'opera fondamentale l'artista inaugura quel gioco di metamorfosi del corpo femminile che lo porta a modificarne le proporzioni con impressionanti inversioni prospettiche, e di cui la *Figura* (MP.101) offre un esempio assai più sintetico. Questo groviglio di arabeschi si snoda su un fondo trattato in ampie zone di un grigio uniforme, segni autonomi che, come già i papiers collés, hanno la funzione di suggerire una certa profondità e di sottolineare il piano della tela.

L'atelier della modista
1926
Parigi, Musée National d'Art Moderne

Disegno per
Le Chef d'oeuvre inconnu di Balzac
1927

Foglio di taccuino
1925/1926
Parigi, Museo Picasso

Baigneuses

(Bagnanti)

Baigneuse

(Bagnante)

6 Agosto 1928
Dinard
Olio su tela
H. 22 cm, l. 14 cm

Baigneuse ouvrant une cabine

(Bagnante che apre una cabina)
9 Agosto 1928
Dinard
Olio su tela
H. 32,8 cm, l. 22 cm

Baigneuse sur la plage

(Bagnante sulla spiaggia)

12 Agosto 1928
Dinard
Olio su tela
H. 21,5 cm, l. 40,4 cm

Joueurs de ballon sur la plage

(Bagnanti che giocano a palla sulla spiaggia)

15 Agosto 1928
Dinard
Olio su tela
H. 24 cm, l. 34,9 cm

«Mi piacciono le chiavi... mi sembra importante averne. È vero che le chiavi sono state una delle mie idee fisse. Nella serie dei bagnanti, ad esempio, c'è sempre questo tema di una porta che tentano di aprire con una grande chiave» [1].
Picasso

«La fragile chiave del problema della realtà».
Eluard

Nelle Estati del 1928 e del 1929, Picasso trascorse un periodo di vacanza a Dinard, ove esegue la celebre serie di piccole tele sul tema delle bagnanti. «Questo ciclo di immagini ricche di simboli quali la chiave, la serratura, la cabina vuota o trasparente, chiusa o richiusa, offre un repertorio di temi e di valenza poetica che mandarono in visibilio i surrealisti» [2].

Che si tratti del tema prosaico della cabina, inaugurato per la prima volta nel taccuino di Cannes del 1927 e destinato a essere ripreso fino al 1938, oppure delle metamorfosi che Picasso impone all'anatomia femminile, la mescolanza di familiare e mostruoso, di humour e di mistero, di erotismo latente che caratterizza queste scenette di spiaggia è infatti in perfetta sintonia con l'estetica surrealista.

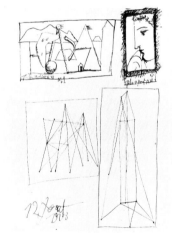

Foglio di taccuino
Dinard, 1928
Ginevra, coll. Marina Ruiz-Picasso

Foglio di taccuino
Dinard, 1928
Ginevra, coll. Marina Ruiz-Picasso

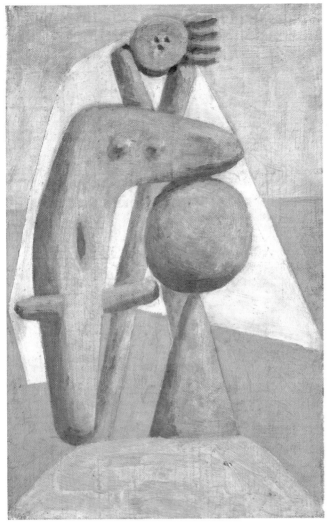

Bagnante

Bagnante che apre una cabina

La cabina, che è al contempo un ricordo infantile delle spiagge di La Coruña e un motivo reale delle stazioni balneari, sul piano simbolico si presta alle più svariate interpretazioni. Trattata come elemento inseparabile delle bagnanti, cui si trova costantemente associata o contrapposta, essa rappresenta per metafora visiva il pittore stesso, vale a dire l'immagine concreta del corpo vissuto come casa, della vita interiore, del rifugio perennemente minacciato dell'interiorità e, al di là di esso, il luogo del mistero. Perciò le donne, Olga, Marie-Thérèse e poi Dora, vengono sempre raffigurate in atto di tentare di entrarvi aprendola con una chiave. Quest'ultima non è, dunque, un mero simbolo sessuale ma piuttosto la chiave della Rivelazione, dell'accesso al senso nascosto, al mondo invisibile. Così anche queste scenette – come tutto in Picasso – hanno un duplice significato: il punto di partenza è sempre la rappresentazione del reale, del quotidiano, ovvero lo spettacolo della vita che lo circonda, come dimostrano l'immagine della bagnante con la palla, ispirata a una fotografia di Marie-Thérèse, o le tele che esprimono i movimenti frenetici dei bagnanti in costume a righe che giocano a palla; ma si tratta, al tempo stesso, di "quadri magici"[3], di contemplazioni mistiche in cui si rivelano i sentimenti più riposti di Picasso nei confronti della donna e del pericolo che essa rappresenta. D'altronde, in alcune tele la cabina si trasforma in tempio, oppure in una tomba, mentre talora

è il corpo umano stesso ad assumere la forma di una cabina (*Grande bagnante*, MP.115).

«Picasso riesce a tramutare la cabina di uno stabilimento di bagni in un'apparizione sovrannaturale. Vi racchiude il mistero...»; «E, a richiamare il reale, l'ombra di una figura umana si staglia nella luce della porta»[3].

La spiaggia, che agli inizi degli anni Venti accoglieva le immagini di idilli in stile antico, a partire dal taccuino di Cannes diviene lo sfondo di sculture immaginarie e luogo della "mostruosità". I corpi femminili, accorciati, smembrati, e rimontati pezzo per pezzo, costituiscono un alfabeto anatomico, una grammatica organica che servirà di matrice a tutte le forme ulteriori, e che presenta l'iconografia più fantastica di tutta l'arte moderna. La luce trasparente delle spiagge del nord, i colori chiari stesi a piena pasta, la pennellata vivace e in rilievo contribuiscono ad accentuare il lirismo di questa serie, la sua atmosfera gioiosa e poetica.

1. A. Vallentin, *Pablo Picasso*, Albin Michel, Parigi 1957.
2. D. Bozo, *Picasso, œuvres en paiement des droits de succession*, Parigi, Grand-Palais, 1979-1980.
3. Christian Zervos, *Picasso à Dinard*, in: «Cahiers d'Art», 1929, pp. 5-20.

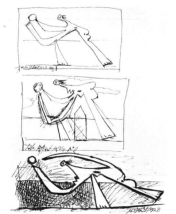

Foglio di taccuino
Dinard, 1928
Ginevra, coll. Marina Ruiz-Picasso

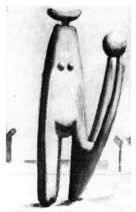

Bagnante con la palla
1929
Parigi, Museo Picasso

Marie-Thérèse Walter fotografata da Picasso
Dinard, Estate 1928
(Archivio Picasso)

Bagnante sulla spiaggia

Bagnanti che giocano a palla sulla spiaggia

Figure

(Figura)

(Proposto come progetto per un monumento a Guillaume Apollinaire)

Autunno 1928
Parigi
Tondino e lamiera di ferro
H. 60,5 cm, l. 15 cm, pr. 34 cm

Gli voglio proprio fare una statua», disse l'uccello del Bénin.
«Perché, sa, oltre che pittore io sono anche scultore».
«Giusto!» disse Tristouse, «bisogna erigergli una statua...»
«Ma una statua di che materiale?», chiese Tristouse.
«Di marmo? di bronzo?»
«No, niente vecchiumi», rispose l'uccello del Bénin, «gli devo scolpire una profonda statua di niente, come la poesia e la gloria».
«Bene, bravissimo!» disse Tristouse battendo le mani, «una statua di niente, di vuoto, che magnifica idea...»[1].
Apollinaire

Scultura del *vuoto*: definizione premonitoria, quella della statua che nel racconto di Apollinaire il pittore (Picasso) vuole eseguire in onore dell'amico poeta Croniamental, poiché si attaglia perfettamente ai vari progetti per un monumento allo stesso Apollinaire che Picasso realizzerà nel 1928.

L'impiego del filo metallico nell'opera picassiana risale alle scene per il balletto *Mercure*, del 1924, d'altronde direttamente ricollegabili ai disegni a punti e linee del taccuino astratto di Juan-les-Pins. Nel primo caso, si tratta di grafismo curvilineo, nel secondo di brevi linee unite da una costellazione di punti. Infine nel 1928, in un taccuino di Dinard, Picasso disegna delle figure costituite esclusivamente da tratti rettilinei congiunti gli uni agli altri. Si tratta di altrettanti progetti di sculture per il monumento ad Apollinaire, che l'artista provvederà poi a realizzare in tondino di ferro con l'aiuto di Julio Gonzalez.

Il Museo Picasso possiede i tre modellini originali, da cui sono stati tratti due ingrandimenti conservati rispettivamente al Museum of Modern Art di New York (M. 264) e presso lo stesso Museo Picasso (MP. 265).

Queste sculture "a giorno", che rappresentano la proiezione nello spazio di un disegno lineare, trovano riscontro nella produzione pittorica dell'epoca: *L'Atelier* del 1928 (New York, Museum of Modern Art) presenta infatti lo stesso linguaggio geometrico e rettilineo. La struttura dell'opera qui riprodotta, chiaramente leggibile nella vista laterale, consta di quattro successivi piani verticali collegati l'uno all'altro da linee oblique. Il rettangolo più grande sostiene il disco della testa e il triangolo raffigurante la parte superiore del corpo, ed è preceduto da un altro rettangolo che sembra costituire il corpo centrale attraverso cui passano tutte le diagonali, davanti al quale si trovano le braccia ricurve con le piccole mani forgiate, sostenute da un fascio di quattro tondini riuniti in un punto; sul fondo, si inserisce un triangolo accoppiato a un semicerchio e dal quale si dipartono le oblique. L'armatura risulta così composta da elementi corrispondenti ad altrettante linee di forza che dinamizzano lo spazio e lo mettono in tensione. La spazializzazione dell'opera è uno degli aspetti più rivoluzionari e fecondi della scultura contemporanea: basti pensare al partito che ne trarrà un artista come Calder. Ma, come sempre nell'opera picassiana, al di là dell'innovazione tecnica e formale, anche questa armatura di fili metallici conserva tuttavia forma umana, e il personaggio appare trattato con ironia e tenerezza.

1. Guillaume Apollinaire, *Le poète assassiné*, 1916.

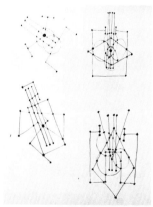 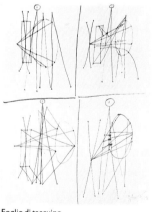

Foglio di taccuino
1924
Parigi, Museo Picasso

Foglio di taccuino
1928
Ginevra, coll. Marina Ruiz-Picasso

 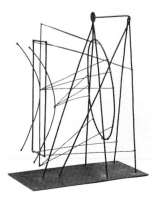 

Figura
Parigi, 1928
Parigi, Museo Picasso

Figura
Parigi, 1928
Parigi, Museo Picasso

Figura (profilo)
Parigi, 1928
Parigi, Museo Picasso

Grand nu au fauteuil rouge

(Grande nudo, su poltrona rossa)

1929
Parigi
Olio su tela
H. 195 cm, l. 129 cm

Per ferire lo spettatore Picasso non aveva davvero bisogno di ricorrere, come avrebbe voluto, alle lamette da barba inserite negli angoli dei quadri[1], giacché il livello di crudeltà puramente plastica di talune sue opere basta a conferire alla loro immagine un potere altrettanto temibile. Il *Grande nudo, su poltrona rossa* è appunto una di queste opere di dolore che ci colpiscono nel profondo, in quel nucleo di sofferenza interiorizzata, indicibile che non ammette altre immagini concrete se non quella di una prostrazione viscerale, di un muto grido di angoscia. Ogni elemento della tela contribuisce a esprimere tale idea: l'allungamento delle membra, flaccide «come visceri penduli»[2] e completate da semplici moncherini, aggrovigliate come i tentacoli di una piovra e afflosciate sulla poltrona (la stessa posa di abbandono si riscontra nella scultura *Donna seduta*, MP.287); l'aspetto della testa, ridotta a una sorta di voragine irta di denti e dalla forma a tenaglia che ritroveremo anche nella *Crocifissione*; il corpo filiforme, come svuotato; e infine, i toni stridenti (rosso – viola – giallo) che contrastano con lo squarcio nero del fondo. La tensione pittorica del quadro è accentuata dalla potenza architettonica della composizione, dalla cornice geometrica che chiude lateralmente la figura contrapponendosi al molle abbandono del corpo e all'elasticità della poltrona.

«Per quanto orribile, laida possa essere l'impressione suscitata, è pur sempre la pittura a trionfare»[3]. Le deformazioni anatomiche che portano alle estreme conseguenze le metamorfosi plastiche delle bagnanti "mostruose" di Dinard sfociano, come già in due disegni anteriori raffiguranti anch'essi una donna in poltrona, in questa esasperata violenza espressiva che denuncia la profonda aggressività dell'artista nei confronti della donna.

«Nessun pittore ha mai amato, odiato, temuto tanto le donne, ne è mai stato tanto ossessionato, e si è mai tanto accanito nel distruggerle»[4]. Come osservava Paul Eluard, in base all'esame grafologico di Picasso pubblicato nel 1952 su «Le Point», egli «ama intensamente e uccide ciò che ama».

Il periodo del 1927-1929 è interamente dominato da questa immagine sconcertante, enigmatica della donna, spesso raffigurata sotto forma di un mostro grottesco e minaccioso. Anche il motivo del quadro-specchio, che qui si presenta come un vuoto opaco, figura in altre tele dell'epoca, incorniciando talora l'ombra del pittore di profilo, talora invece il volto di una donna mostruosa, visioni che si riferiscono evidentemente ai problemi coniugali con Olga.

1. Si veda *La Chitarra* (MP.87), cfr. p. 48.
2. A. Fermigier, *Picasso*, Livre de Poche, Parigi 1969.
3. A. Fermigier, op. cit.
4. A. Fermigier, op. cit.

Donna seduta
Boisgeloup, 1929
Parigi, Museo Picasso

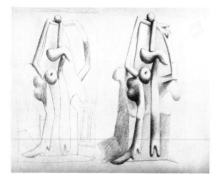

Foglio di taccuino
1929
Parigi, Museo Picasso

Donna in poltrona
1927
Parigi, Museo Picasso

La femme au jardin

(Donna in giardino)

1929
Parigi
Ferro saldato e dipinto
H. 206 cm, l. 117 cm, pr. 85 cm

Questa scultura in sbarre di ferro e lamiera ritagliata, per dimensioni una delle più monumentali di Picasso, è frutto della collaborazione dell'artista con Gonzalez. Malgrado si conoscessero da lunga data, il loro sodalizio non iniziò che nel 1928, quando Picasso, desideroso di dedicarsi nuovamente alla scultura, prese a frequentare regolarmente l'atelier di Gonzalez a Montparnasse, ove ebbe modo di usufruire non solo degli strumenti ma anche della padronanza tecnica dell'amico nella lavorazione del metallo. Diverse sculture rimangono a testimoniare di questo lavoro in comune: tre teste, fra cui la *Testa femminile* (MP.270) affine alla *Donna in giardino*, la *Testa* bianca e nera (MP.263) di cui esiste anche una versione pittorica, nonché i tre modellini del *Progetto per un monumento ad Apollinaire* (cfr. p. 56, MP.264, 266). Quanto alla figura qui riprodotta, non è difficile riconoscervi – pur in mancanza di un esplicito termine di riferimento nel disegno – alcuni motivi che hanno un preciso equivalente in pittura: dalle grandi foglie di eucalipto, presenti in un quadro del 1931, *La lampada*[1], alla testa triangolare della donna, con la bocca irta di denti e i capelli al vento, che deriva direttamente dalle tele del 1928-1929. L'elemento a forma di fagiolo e quello rotondo forato al centro indicano altrettante forme anatomiche: il ventre, il sesso. L'accostamento della figura femminile a elementi vegetali, inteso a sottolineare la nozione di fecondità, sarà una delle caratteristiche costanti dei successivi ritratti di Marie-Thérèse. Eppure, la forma della testa, il corpo scheletrico, l'espressione di humour aggressivo e feroce della scultura non suggeriscono in alcun modo l'immagine della giovane amante dell'artista, ma semmai le figure di arpie o di mostri delle tele dell'ultimo scorcio degli anni Venti.

Come già nelle *Costruzioni* cubiste e nei modellini in filo di ferro, anche qui Picasso inserisce il volume in negativo e il vuoto quali elementi della composizione; quindi, passa a rivestirne la struttura metallica rigida e astratta con motivi realistici, aneddotici, rappresentati da forme piatte e ritagliate. L'unione di due linguaggi scultorei, quello del segno nello spazio e quello del piano, è una caratteristica della scultura picassiana degli anni 1928-1932: qui, il procedimento di giunzione è dissimulato dalla pittura bianca, che conferisce omogeneità all'insieme.

Quest'opera, eccezionale equilibrio di astratto e di figurativo, per metà costruttiva e per metà surrealista, esiste anche in una seconda versione in bronzo realizzata da Gonzalez.

1. Z. VII, 347.

Testa
Parigi, 1928
Parigi, Museo Picasso

Testa femminile
Parigi, 1929-1930
Parigi, Museo Picasso

La Crucifixion

(Crocifissione)

7 Febbraio 1930
Parigi
Olio su compensato
H. 51,5 cm, l. 66,5 cm

Questo quadro, che per il soggetto religioso, la complessità del vocabolario formale, i toni stridenti occupa un posto di eccezione nell'arte di Picasso, e che cronologicamente e idealmente si colloca tra *La danza* e *Guernica*, è una di quelle opere fondamentali che riassumono l'intero universo estetico dell'artista e che di conseguenza sono state oggetto di svariate interpretazioni iconografiche.

Nel suo desiderio di dare nuova vita alla tradizione pittorica, era inevitabile che Picasso si trovasse ad affrontare quello che, da sempre, costituiva il soggetto per eccellenza della pittura religiosa. Non soltanto la sua origine spagnola, ma altresì la dimensione anticlericale e blasfema dei surrealisti, nonché l'interesse per l'iconografia primitiva e medievale che si esprimeva nelle riviste «Cahiers d'Art» e «Documents», contribuivano a orientarlo verso la scelta di un tema cristiano, tanto più che al di là del simbolo universale che vi si riconnette esso gli permetteva di esprimere alcune preoccupazioni personali. Il genere storico – che il solo Picasso fra i pittori del nostro secolo è in grado di affrontare – assume infatti nella sua arte una dimensione del tutto particolare: che si tratti di *Guernica* o della *Crocifissione*, egli riesce a restituire vita e senso all'evento investendovi il proprio universo privato.

Rimangono, così, riconoscibili taluni motivi tradizionali della Crocifissione: Cristo in croce, le due piccole croci vuote, a destra sul fondo rosso e a sinistra in basso nella parte azzurra, i corpi dei due ladroni in basso a sinistra, il centurione con la lancia, simile a un picador, il personaggio in cima alla scala che pianta un chiodo nella mano di Cristo, e infine i centurioni che giocano a dadi su un tamburo; ma a questi motivi si affiancano altre figure, aggiunte e liberamente interpretate dall'artista e che trovano riscontro in alcuni disegni anteriori e posteriori che consentono di chiarirne l'evoluzione e il significato. Picasso raggruppa qui, come in un puzzle, diversi motivi di precedenti composizioni: donde la complessità dell'opera, autentico repertorio del suo vocabolario plastico degli ultimi cinque anni. La testa azzurra e cartilaginosa da mantide, con la sua bocca dentata, è quella della *Bagnante seduta* (New York, Museum of Modern Art) come dimostra lo schizzo su un taccuino del Febbraio del 1930. Le braccia gialle levate al cielo appartengono al personaggio della Maddalena, la cui testa china dal naso prominente è divenuta quella di un soldato. La posa allucinata, riversa, supplice della Maddalena è stata studiata in alcuni disegni del 1929. Picasso ne accentua all'estremo la torsione, tanto da portarne il volto al livello delle reni, trasformazione che sottolinea il carattere fallico dei seni e del naso. Questa fusione fra testa e natiche è illustrata dalla forma rossa e gialla simile a un sole chiomato, che si può anche interpretare come la testa di San Giovanni, e cui fa riscontro a sinistra quella massa verde in cui taluni hanno visto un'immagine dilatata della spugna intrisa di aceto, simbolo della Passione, e altri invece un masso caduto dal cielo a schiacciare l'uccello e il personaggio dalla testa monumentale. Anche questa testa deriva dagli studi del taccuino del 1930 e si riconosce in parte in altre tele. La figura bianca al centro, stretta al corpo di Cristo, e che rappresenta la Madonna, riprende la bocca irta di denti del *Grande nudo, su poltrona rossa* (cfr. p. 58) e le gambe piatte dell'*Acrobata* (MP.120). Quanto al volto lunare, visto di faccia e di profilo, inscritto su un triangolo giallo alla destra di Cristo, è un ritratto di Marie-Thérèse derivante da un quadro del Novembre del 1929[2].

Sintesi formale, dunque, di forme piatte, ossute, flosce mutuate dalla *Danza* e dalle *Metamorfosi* di Dinard, ma al tempo stesso sintesi

Foglio di taccuino
1929
Parigi, Museo Picasso

Foglio di taccuino
1930
(Proprietà degli eredi)

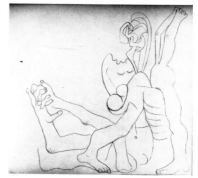

Foglio di taccuino
1930
(Proprietà degli eredi)

iconografica: l'esame degli altri disegni della *Crocifissione* (quelli del 1927 e del 1929) pone in rilievo l'influsso di altre fonti, quali il tema della corrida – evocato dalla figura del picador – e quello del teatro. La lunga scala a pioli si ritrova infatti, identica, nella decorazione del sipario di *Parade* e in particolare in un disegno raffigurante un personaggio che sale verso il sole (MP.1557); e la *Crocifissione* del 1917 (MP.790), vicina agli studi di *Parade*, presenta già le due croci, il centurione a cavallo e la figura della Maddalena riversa ai piedi di Cristo. Infine, come giustamente osservano Ruth Kaufmann[1] e Roland Penrose, la crocifissione è qui interpretata come un sacrificio rituale affine al culto di Mitra, vale a dire basato sulla scelta del toro quale animale sacrificale nonché sul simbolismo solare. Il tema è stato d'altronde evocato anche da Bataille in un testo fondamentale, pubblicato in quello stesso anno su «Documents»: *Soleil pourri*. Il dualismo luna/sole, illustrato dal duplice viso a destra, è sottolineato inoltre dalla contrapposizione delle due forme sferiche che fiancheggiano il crocifisso. La pietra-spugna si potrebbe perciò inter-

pretare come il "sole marcio", e la forma a falce gialla e rossa come la luna, in contrasto con la sfera solare splendente e radiosa di destra. L'effettiva presenza della luna e del sole nella crocifissione è attestata dal disegno del 1930[3].

In Picasso il tema è dunque trattato nel suo aspetto più selvaggio, di brutalità animalesca, di sacrificio rituale, primitivo, e a questa idea si uniformano anche i colori, il rosso sangue, il giallo sole che si contrappone ai corpi lividi di Cristo e della madre e alle tenebre che oscurano il cielo. Le dissonanze dei toni e il contorcersi delle figure, quelle membra sparse, aggrovigliate, quell'ammasso di gambe e di piedi smisurati esprimono tutta la violenza di un cataclisma apocalittico.

1. Ruth Kaufmann, *Picasso's Crucifixion of 1930*, in: «The Burlington Magazine», Settembre 1969.
2. Z. VII, 311.
3. Z. VII, 315.

Testa
1929
New York, coll. Paloma Lopez-Picasso

Parade
Parigi, 1917
Parigi, Museo Picasso

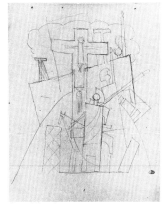

Crocifissione
[1917]
Parigi, Museo Picasso

Crocifissione
1930-31

Tableaux-reliefs de sable

(Tableaux-reliefs di sabbia)

Baigneuse debout

(Bagnante in piedi)

14 Agosto 1930
Juan-les Pins
Sabbia su rovescio di tela e telaio, oggetti, cartone e vegetali cuciti e
incollati sulla tela
H. 33 cm, l. 24,5 cm, pr. 2 cm

Visage aux deux profils

(Viso con due profili)

14 Agosto 1930
Juan-les-Pins
Sabbia su rovescio di tela e telaio, cartone cucito e incollato sulla tela
H. 41 cm, l. 33 cm, pr. 1,5 cm

Composition au gant

(Composizione con guanto)

Agosto 1930
Juan-les-Pins
Sabbia su rovescio di tela e telaio, guanto, tessuto, cartone, vegetali,
cuciti e incollati sulla tela
H. 27,5 cm, l. 35,5 cm, pr. 8 cm

Objet à la feuille de palmier

(Oggetto con foglia di palma)

27 Agosto 1930
Juan-les-Pins
Sabbia su rovescio di tela e telaio, vegetali, cartone, chiodi, oggetti
incollati e cuciti sulla tela
H. 25 cm, l. 33 cm, pr. 4,5 cm

Oggetti poetici, surrealisti per eccellenza, questi piccoli *tableaux-
reliefs* ricoperti di sabbia costituiscono una serie completa e unica
nell'opera di Picasso. Realizzati durante l'Estate del 1930 a Juan-les-Pins,
essi conservano nel materiale – sabbia, oggetti trovati sulla spiaggia – e
nei temi – bagnanti, barche – la traccia del luogo in cui furono creati e
della loro origine: quella di relitti venuti dal fondo del mare, che le onde
hanno abbandonato sulla spiaggia e che la mano dell'artista in cerca di
tesori aiuta ad affiorare lentamente dalla sabbia. È infatti nota la predilezione di Picasso per gli oggetti di scarto, i rifiuti, il cui impiego sotto
diverse forme è una delle costanti della sua arte: costruzioni cubiste
degli anni 1912-1915, collages e "piquages" del 1926, assemblages del
1938. Oggetti che egli sceglie non solo per il loro implicito valore
formale, plastico, per le possibilità di metamorfosi che racchiudono, ma
altresì per il loro potere di suggestione poetica, per il senso riposto che
vi intuisce e che lo induce ad accostarli e a contrapporli in modo
eteroclito. Nelle opere in questione, si tratta soprattutto degli oggetti
che si trovano abitualmente su qualsiasi spiaggia: fuscelli, spaghi, bran-
delli di tessuto, una palla di gomma, qualche alga, foglie di palma,
barchette ecc., accostati a qualche ritaglio di feltro. L'artista li ha
incollati o cuciti sul rovescio del quadro, cosicché il telaio funge da
cornice, e li ha quindi ricoperti di sabbia in modo da dissimulare le
differenze di materia e da conferire unità all'opera.

La sabbia non era un materiale nuovo per Picasso, che se ne era già
servito in certi quadri o sculture cubisti, e successivamente in qualche
tela del 1924. Ma solo qui il suo impiego trova la propria ragion d'essere,
acquista pieno significato materiale e simbolico. Giacché non solo essa
conferisce alle tele una granulosità che consente di suggerire direttamente la spiaggia e i suoi giochi, ma evoca inoltre, come il sudario di lava
che avvolge i corpi di Pompei, o la cenere dei cimiteri, un velo protetti-
vo che ricopra gli oggetti viventi congelandoli per sempre nella loro
immobilità. D'altro canto, in questi tableaux-reliefs sembra materializ-
zarsi il lavoro sotterraneo del sogno che fa affiorare dai recessi dell'inconscio oggetti concreti e strane immagini fino ad allora ignorati. A
sottolineare questa idea di *mistero rivelato* contribuisce il fatto che gli
oggetti siano collocati sul rovescio della tela, quasi a significare il mondo
ignoto situato al di là del quadro. «La mano che si manifesta nella pittura
di sabbia è una sorta di irruzione dell'inconscio nell'ambito degli oggetti
familiari»[1]. In queste opere che non appartengono né alla pittura né alla
scultura, ma che si situano alla confluenza di entrambe le arti, Picasso
porta «all'estremo lo spirito, non più di contraddizione, bensì di evasio-
ne»: si può dire che esse rappresentino la più alta espressione poetica di
quel «privilegio del 'divertissement'» a buon diritto accordato soltanto
ai grandi[2].

1. A. Fermigier, *Picasso*, Hachette, Parigi 1967, p. 262.
2. Citato da D. Bozo, *Picasso*, Parigi, Grand Palais, 1979-1980, p. 121.

Bagnante in piedi

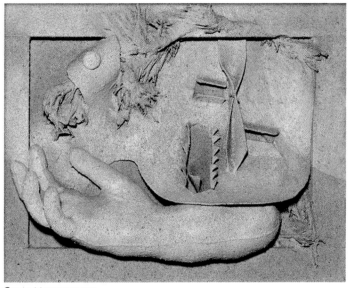

Composizione con guanto

Viso con due profili

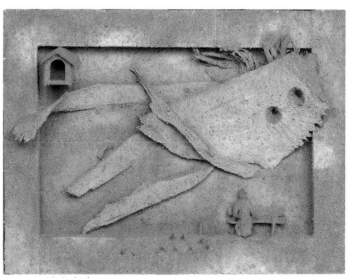

Oggetto con foglia di palma

Composition au papillon

(Composizione con farfalla)

1932
Boisgeloup
Tessuto, legno, vegetali, spago, puntina da disegno, farfalla, olio su tela
H. 16 cm, l. 22 cm, pr. 2,5 cm. Acquistato nel 1982

«*Una farfalla del tipo più comune immobilizzata per sempre accanto a una foglia secca [...]: ho passato un intero pomeriggio a chiedermi come potesse conferire tale e tanta importanza alla piccola, piccolissima tela che avevo avuto sotto gli occhi quella mattina stessa... mi sono chiesto che cosa facesse sì che il suo perfetto inserimento nel quadro determinasse improvvisamente quell'emozione assolutamente unica dal cui insorgere possiamo dedurre con certezza di essere stati oggetto di una rivelazione*»[1].
André Breton

Una puntina da disegno, qualche fiammifero, un lembo di tessuto, un pezzo di spago, una foglia di tiglio e una farfalla, incollati su una tela dipinta e parzialmente ricoperta da uno strato di bianco-crema, laccato, da cui affiorano le ali fragili e variopinte dell'insetto e le sottili costolature della foglia, unici indizi di vita nella composizione artistica: sono questi gli oggetti, fra i più desueti e familiari, di cui si compone il piccolo capolavoro che aveva tanto colpito André Breton, quadro poetico in cui il meraviglioso si trova come per magia imprigionato nella realtà.

A sinistra, un personaggio formato da elementi eterocliti – una puntina da disegno per la testa, dei fiammiferi per le braccia e le gambe e un frammento di tessuto per il corpo –, a destra, un'altra figura disegnata da uno spago sfilacciato: in mezzo a essi, una foglia, elemento vegetale, scelta per la sua particolare tessitura fine e leggera nonché per il suo valore simbolico, e la farfalla vera, delicatamente posata sulla tela e seguita da una scia di peli incorporati nello strato di pittura. «Nel 1932», dice ancora André Breton, «una farfalla autentica è entrata per la prima volta a far parte della composizione di un quadro: e ciò, senza che la sua presenza determinasse l'immediato sgretolarsi degli elementi circostanti, né che l'effetto spaesante prodotto dal suo inserimento in tale contesto compromettesse in alcun modo il sistema di rappresentazioni umane in cui è normalmente inglobata»[1].

Vent'anni dopo l'inserimento del ritaglio di tela cerata nella *Natura morta con la sedia di paglia*, Picasso ripete dunque il gesto radicale di assimilare un corpo estraneo, nella fattispecie un animale, alla figurazione pittorica. La sottile transizione dall'inanimato all'animato, dalla materia al sogno, dagli oggetti al vegetale e quindi all'animale, è un'eloquente illustrazione della peculiarità dell'arte di Picasso, per il quale vita e arte sono intimamente connesse, e qualsiasi cosa può tramutarsi in pittura. È quest'ultima, infatti, a rendere possibile la coesistenza di elementi tanto eterocliti: anche qui, la fusione si opera grazie allo strato di colore opaco che immerge la tela in un'atmosfera lattiginosa, irreale. Il quadro è come illuminato dalla presenza insolita della farfalla, e quest'ultima sembra acquistare nuovo slancio affiorando così da una tela.

1. A. Breton, *Picasso dans son élément*, in: «Minotaure», n. 1, 1933.

Bois sculptés

(Scultura in legno)

Femme debout

(Donna in piedi)

1930, Boisgeloup
Legno di abete scolpito e filo di ferro
H. 47,5 cm, l. 5 cm, pr. 7,5 cm

Buste de femme

(Busto femminile)

[1930]
Boisgeloup
Legno di pino scolpito
H. 13 cm, l. 5 cm, pr. 2,5 cm

Couple

(Coppia)

[1930]
Boisgeloup
Legno di tiglio scolpito
H. 10,5 cm, l. 3,5 cm, pr. 2,2 cm

Picasso ha esplorato tutte le tecniche, tutti i materiali, ha sperimentato tutti i linguaggi plastici: quello del tratto, della geometria, dell'arabesco, del piano e della scultura a tutto tondo. Queste piccole sculture in legno forniscono un'ulteriore prova del suo genio inventivo, della sua facoltà di creare una figura da qualsiasi oggetto gli si presentasse allo sguardo. Intagliate a temperino direttamente nel legno di abete o di tiglio, queste statuette, che nelle sagome allungate preludono a Giacometti ma che rivelano altresì l'influsso di certe fonti primitive arcaiche, furono eseguite a Boisgeloup durante una fase di ritorno alla scultura. L'analisi dell'attività picassiana nel suddetto ambito ne ha sempre sottolineato, e a ragione, la matrice pittorica, ponendo in rilievo il costante dialogo fra i due modi di espressione, oppure si è soffermata sull'aspetto di "bricolage", sull'arte dell'assemblage e dell'*objet trouvé*: ma ha generalmente trascurato di approfondire la dimensione originale della scultura, vale a dire il lavoro diretto sul materiale, il ruolo della resistenza che questo oppone, la casualità delle forme tratte progressivamente dal blocco — insomma, tutti gli aspetti più peculiari dell'arte scultorea, di cui queste *Figure* forniscono un perfetto esempio. Pur evocando quelle, primitive, del 1907 influenzate dall'arte di Gauguin e dell'Oceania, queste sculture in legno presentano ovviamente una notevole evoluzione stilistica, forme più raffinate e più morbide, nonché tutte le possibili fantasie anatomiche, frutto delle metamorfosi degli anni 1927-1928.

Autentico, piccolo capolavoro la coppia abbracciata le cui teste si confondono, e di cui non si distinguono che le membra, piegate in modo da essere comprese nello stesso blocco, avvinta in una stretta che ricorda *Il bacio* di Brancusi... Enigmatico, per parte sua, il busto femminile dal naso prominente, in cui le venature del legno hanno dettato i ritmi delle curve, guidando la mano dello scultore. Il volto dai tratti indistinti è assai vicino alle *Teste* di Marie-Thérèse del 1932. Maestosa e inquietante, infine, come un burattino in equilibrio su una palla, la lunga figura di donna dal cranio per metà vuoto e il cui corpo sembra lacerato dai segni delle incisioni: il collo è cinto da un filo di ferro che serve a consolidare l'attacco del braccio, suggerendo al tempo stesso una collana. Pur nelle loro ridotte dimensioni, queste statuette (di cui esiste anche la versione in bronzo) si impongono per una particolare monumentalità.

Donna in piedi
Boisgeloup, 1930
Parigi, Museo Picasso

Donna seduta
Boisgeloup, 1930
Parigi, Museo Picasso

Donna in piedi
Boisgeloup, 1930
Parigi, Museo Picasso

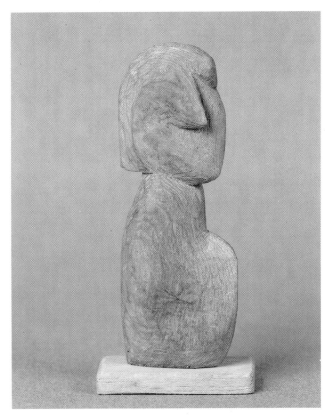

Figures au bord de la mer

(Figure in riva al mare)

12 Gennaio 1931
Parigi
Olio su tela
H. 130 cm, l. 195 cm

Monumentali e pietrificate nel loro accoppiamento mostruoso, queste strane *Figure in riva al mare* simili ai resti fossili di antichi animali ci fanno accedere al più profondo dell'universo fantasmatico ed erotico di Picasso, rivelandone le affinità di immagini e di simboli con il Surrealismo. Ma, al di là del loro potere suggestivo, forniscono soprattutto un magistrale esempio dell'invenzione e dell'elaborazione del vocabolario plastico e formale dell'artista.

La luce calda e dorata, i toni beige, ocra e rosa, l'ambiente marittimo e la presenza della cabina concorrono infatti a collocare la tela (insieme a quella coeva della *Donna che getta una pietra*: cfr. p. 74) nel ciclo delle *Bagnanti*: fra quelle del 1920 per il tema, e fra quelle di Cannes (1927) e di Dinard (1928-1929) per le forme, da cui sono in parte derivate. Le "metamorfosi" dell'anatomia femminile – termine peraltro improprio, poiché il riferimento al reale non viene mai meno – inaugurate dalla *Danza* del 1925, raggiungono l'apice con le *Bagnanti* di Cannes e di Dinard e vengono quindi riassunte nella *Crocifissione* del 1930. Da questa evoluzione formale traggono origine la *Bagnante in riva al mare* (New York, Museum of Modern Art), del 1930, i due quadri sopracitati e i dipinti e sculture del periodo di Boisgeloup (*Teste di Marie-Thérèse* e *Donna sulla poltrona rossa*, cfr. p. 80), in cui si riscontra il medesimo trattamento del corpo e del volto in volumi ossificati, astratti, dalle forme organiche. Occorre infine sottolineare il nesso tra queste innovazioni formali e gli studi per la *Crocifissione* da Grünewald, del 1932, in cui il corpo umano appare ridotto a un autentico scheletro. Manca, tuttavia, qualsiasi aspetto morboso, non ci troviamo di fronte né alle madrepore ossee di un Tanguy, né alle forme molli di un Dalì: queste figure vanno percepite nell'ottica del volume tridimensionale della scultura, cui si ricollegano direttamente.

Le metafore erotiche sono evidenti: volti ridotti a grandi bocche dentate a forma di vagina – atavica paura della "vagina dentata" – trafitte da lingue acuminate, nasi a forma di proboscide fallica, membra deformi, peni smisurati, che si scontrano e si compenetrano, quasi in un gioco di costruzioni, in un saldo e crudele bacio. È impossibile distinguere l'uomo dalla donna, poiché i rispettivi attributi sono frammischiati gli uni agli altri: le forme organiche – seni, cosce, gambe – ancora identificabili sono ridotte a monoliti cilindroidi schietti e levigati che tramutano il corpo umano in un monumento scolpito.

L'aggressiva violenza, la brutalità sessuale che si rivela nei nudi femminili di questo periodo non sono unicamente frutto dell'immaginario o delle proiezioni fantasmatiche di Picasso sulla donna, ma corrispondono a una precisa realtà: quella delle facoltà di trasformazione e di metamorfosi del corpo nel rapporto erotico. Tutte le immagini, tutti i segni rinviano a sensazioni concrete e soggettive, cui Picasso ha saputo dare corpo e che il suo sguardo di pittore è riuscito a materializzare: così, queste figure sono una perfetta illustrazione di quel «modello interiore» di cui parlava André Breton. E in ciò consiste appunto una delle principali differenze fra Picasso e gli altri pittori surrealisti: nel fatto che egli rifiuti di abbandonare l'ambito del reale, delle apparenze sensibili, tentando invece di circoscriverlo con il minor numero possibile di segni. «Il surrealismo di Picasso non consiste nell'incontro fra l'immaginario e il reale, bensì nella contrapposizione di due realtà eterogenee, entrambe percettive: la realtà pittorica e quella delle cose»[1].

O ancora, per citare Reverdy: «L'immagine è una creazione dello spirito. Essa non può nascere da un paragone, ma dall'accostamento di due realtà più o meno distanti. Quanto più lontani e giusti saranno i rapporti fra le due realtà accostate, tanto più forte sarà l'immagine»[2]. È appunto questa distanza, e il conseguente impatto fra le due realtà, a implicare le sconnessioni dell'immagine.

La presenza della cabina, luogo simbolico apparso per la prima volta nelle tele di Dinard, ha qui il valore ironico di un'allusione alla civiltà in contrapposizione agli istinti primitivi e selvaggi dei due mostri preistorici raffigurati.

1. Maurice Raynal, *Picasso*, Skira, Ginevra 1953.
2. P. Reverdy, 1918, citato da P. Daix, *Picasso*, Somogy, Parigi 1964, p. 144.

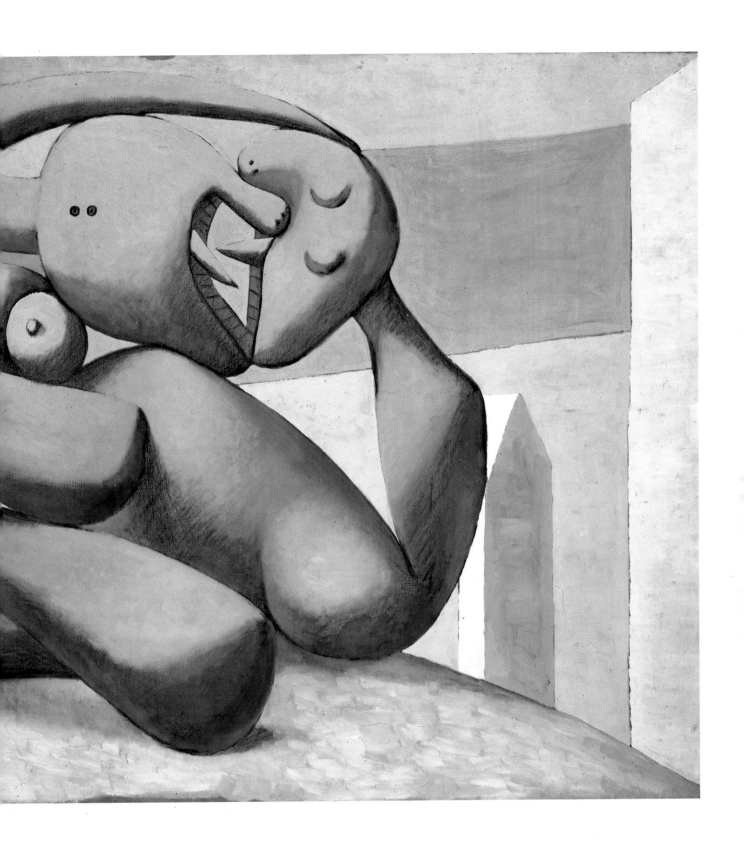

Femme lançant une pierre

(Donna che getta una pietra)

8 Marzo 1931
Parigi
Olio su tela
H. 130,5 cm, l. 195,5 cm

In questa tela Picasso si spinge ancor più lontano nella semplificazione, nell'astrazione e, dunque, nella pura espressione pittorica. Le forme divengono difficilmente riconoscibili: se i seni a forma di palla e l'ampio ventre triangolare, ancorché privi di qualsiasi riferimento realistico, rimangono tuttavia identificabili, più problematica appare invece l'individuazione della testa, tradotta da una sorta di fallo provvisto di antenne, nonché quella di braccia e gambe, mescolate inestricabilmente. Dallo schizzo preparatorio di un taccuino, la testa risulta aver avuto in origine maggiore rilievo.

Il carattere minerale del corpo è accentuato dalla presenza dello scoglio e della pietra, con cui si confonde. Per l'aspetto monolitico delle forme, il miracoloso e precario equilibrio assicurato da pochi punti di contatto, questa figura di donna evoca essenzialmente l'immagine di un dolmen, mentre il grande braccio che regge la pietra richiama alla mente le antiche catapulte. Il paesaggio meridionale e naturalistico è scomparso – non c'è più traccia di mare o di spiaggia –, lasciando il posto a uno spazio grigio-bianco del tutto astratto e intensamente presente per materialità pittorica. Il tema delle bagnanti appare ormai superato, e insieme a esso anche l'aneddoto erotico, e soltanto il titolo *Donna che getta una pietra* conserva qualche riferimento a una possibile e banale realtà.

Più direttamente ricollegabile alle *Bagnanti* di Dinard e alle *Teste* di Boisgeloup, questo quadro di spoglia grandiosità racchiude infinite possibilità plastiche e suggestive: arabeschi dello scoglio che fanno eco a quello del corpo, ripiegamento della forma su se stessa, elasticità delle masse, toni rosei e grigi del colore della pietra. L'insieme risulta disorientante sul piano visivo quanto su quello tattile: e l'ambiguità dello spazio e del personaggio è frutto unicamente del potere della pittura. Il trattamento prelude alla maniera veemente e schematica degli anni Settanta: impasti grassi, materia modellata, pennellate evidenti e gocciolature.

Foglio di taccuino
1931
(Proprietà degli eredi)

Grande nature morte au guéridon

(Grande natura morta con *guéridon*)

11 Marzo 1931
Parigi
Olio su tela
H. 195 cm, l. 130,5 cm

«*Visto che natura morta?!*» *ruggisce alle mie spalle Picasso.* Rispondo:
«*Veramente, io mi aspetto sempre di veder rispuntare in un modo o
nell'altro Marie-Thérèse...*». Picasso si avvicina al quadro, e il suo dito
traccia i profili e le curve che nei dipinti del 1931 designano
Marie-Thérèse, senza quasi mutare i ritmi della natura morta. Poi si gira
e mi batte sulla spalla: «*È ben per questo che dico sempre: Visto che
natura morta?!*»[1].

Poche nature morte, infatti, nell'opera di Picasso presentano una simile
monumentalità, una tale esuberanza di colori, in cui si discerne agevol-
mente l'influsso del vocabolario formale e cromatico ispirato dalla sua
nuova compagna Marie-Thérèse Walter. La generosità delle forme
curvilinee, rotonde – in particolare le due mele verdi con un punto nero
–, il gioco degli arabeschi, la dominante malva-giallo, ricordano con
impressionante precisione il nuovo linguaggio pittorico riservato a
Marie-Thérèse e che contraddistingue opere quali *La lettura* (MP.137)
o il *Nudo coricato* (cfr. p. 82). Linguaggio che, nonché dalla specifica
anatomia della donna, è ispirato da un ritorno alla scultura a tutto tondo,
delineatosi dopo l'acquisto del nuovo atelier di Boisgeloup. Del tema
tradizionale della natura morta, Picasso non ha conservato che pochi
attributi: il *guéridon* a tre piedi che figura anche nelle grandi *Nature
morte con guéridon* di Braque, la fruttiera bianca con i suoi tre frutti, e il
grande vaso giallo che nella forma ricorda curiosamente quello tracciato
dal capriccioso snodarsi della liena nel *Pittore e modella* del 1926

(MP.96). Tutto, in questa tela vibrante di vita, sembra muoversi, ondeg-
giare: dai piedi del tavolino alle volute serpentine, alle linee del pavimento o del muro, non vi è particolare che resista all'energia dinamica
delle curve. Le forme organiche ovoidali o genitali, della frutta, della
base della fruttiera, dei piedi del tavolino, sono altrettante immagini di
fecondità in armonia con la visione che l'artista ha della giovane amante:
quella di una femminilità sul punto di sbocciare, e dunque assimilabile a
un vegetale e da cui, come dimostrano altri ritratti dell'epoca (*Nudo in
giardino*, cfr. p. 86; *Nudo coricato*, cfr. p. 82), possono svilupparsi fiori o
frutti. Il tracciato nero della linea ininterrotta, derivante dal *Bacio* e da
Pittore e modella, delimita dei campi di colore schietto e brillante,
come nelle antiche vetrate di cui la tela ricrea lo splendore.

1. Pierre Daix, *La vie de peintre de Pablo Picasso*, Ed. du Seuil, Parigi 1977, p. 231.

La lettura
Boisgeloup, 1932
Parigi, Museo Picasso

Tête de femme

(Testa femminile)

1931
Boisgeloup
Bronzo (pezzo unico)
H. 128,5 cm, l. 54,5 cm, pr. 62,5 cm

Nel 1931, Picasso cerca rifugio dai fastidi della vita coniugale in un grande atelier ricavato nel castello di Boisgeloup, presso Gisors, ove si dedica attivamente alla scultura, in particolare a tutto tondo, stimolato dal nuovo ambiente e dalla presenza di una modella ideale, Marie-Thérèse, la cui immagine dipinta o scolpita predominerà durante l'intero periodo 1930-1936. A Boisgeloup, egli esegue una serie di *Teste* monumentali di Marie-Thérèse, che costituiscono altrettante variazioni, dalla più classica alla più schematica, sulla specifica morfologia del suo volto. Occhi a mandorla, naso in linea con la fronte, zigomi sporgenti, seni rotondi: malgrado le trasposizioni organiche operate sull'anatomia, Picasso riproduce sempre con rigorosa precisione le caratteristiche plastiche della modella, la rigogliosa pienezza delle sue forme. Questi volti di donna sono strutturati come costruzioni sessuate: la testa dal naso fallico, la bocca a forma di vagina e gli occhi incisi sulle rotondità delle cosce sono una metafora dell'unione sessuale. L'equivalenza tra i segni del volto e quelli degli organi genitali è tipica dell'arte neolitica e di quella africana: Picasso stesso possedeva d'altronde una maschera Nimba, simbolo di fecondità, caratterizzato da un'analoga protuberanza al posto del naso. Ogni singolo organo è trattato autonomamente, talora con risultati di estrema schematizzazione, come nel caso di una *Testa* (MP. 291) ridotta a mera combinazione di volumi cilindrici. Un dialogo costante unisce queste sculture alla pittura dello stesso periodo: esse figurano infatti in taluni dipinti, come *Lo scultore* (MP. 135), nonché nelle incisioni della *Suite Vollard* sul tema dell'atelier dello scultore.

Maschera Nimba
Baga (Guinea)
Parigi, Museo Picasso

Busto femminile
Boisgeloup, 1931
Parigi, Museo Picasso

Testa femminile
Boisgeloup, 1931
Parigi, Museo Picasso

Testa femminile
Boisgeloup, 1931
Parigi, Museo Picasso

Femme au fauteuil rouge

(Donna sulla poltrona rossa)

27 Gennaio 1932
Boisgeloup
Olio su tela
H. 130,2 cm, l. 97 cm

«Ho una vera passione per le ossa... A Boisgeloup ne ho molte altre: scheletri di uccello, teste di cane, di montone... Ho perfino un cranio di rinoceronte... Ha mai osservato che le ossa sono sempre modellate, e non tagliate: che si ha sempre l'impressione che escano da uno stampo dopo essere state modellate in creta? E ha notato come si incastrano bene l'uno nell'altro, con le loro forme concave e convesse? Con quanta precisione combaciano le vertebre?» [1]
Picasso

Dipinto di una scultura o scultura dipinta? Un quadro come la *Donna sulla poltrona rossa* illustra in modo esemplare il costante dialogo di questi due modi di espressione nell'arte picassiana, e in particolare la natura dei rapporti che li collegano, vale a dire quell'aspirazione al volume, allo spazio reale che, dapprima implicita, si concretizza nella pittura di determinati periodi: durante la fase cubista, poi nel 1928 e ancora nel corso del cosiddetto periodo di Boisgeloup. A partire dalle metamorfosi anatomiche delle *Bagnanti* di Cannes e di Dinard, che Picasso traduce peraltro già in scultura (MP. 261, MP. 262), «le diverse parti del corpo tendono ad allentare i reciproci legami per costituirsi in volumi autonomi, che fra breve potranno essere trattati come frammenti a sé stanti, atti a comporre dei corpi o equivalenti di corpi per semplice combinazione di masse cilindroidi, e che suggeriscono imperiosamente il movimento completo di sviluppo del loro modellato in volume»[2]. Direttamente derivate dalle forme monolitiche delle *Figure in riva al mare*, queste ossa rappresentanti le diverse parti del corpo femminile preludono alle variazioni sulla *Crocifissione* da Grünewald, in cui il corpo umano appare ridotto all'estrema espressione di mero scheletro, di armatura ossea, di oggetto meccanico. Mentre le membra lisce e rosee delle *Figure in riva al mare* o delle *Bagnanti* di Dinard suggerivano una materia carnale, morbida, spugnosa, queste ossa ruvide, del colore della pietra, ostentano una durezza minerale, una densità

che ne sottolinea la derivazione, peraltro evidente nel modellato affidato alle luci e alle ombre, nel colore bianco del gesso, nel gioco di pieni e di vuoti: è la scultura a conferire alla pittura questa sensazione tattile della superficie e della materia.

La figura femminile è sottoposta alle più radicali manipolazioni stilistiche: la posizione china ricorda quella di Marie-Thérèse nei ritratti dell'epoca, mentre gli occhi rotondi richiamano piuttosto la scultura, e in particolare una *Testa* (MP.300). Il collo, i seni e il ventre a forma di palla, le due braccia, rimangono chiaramente identificabili, mentre la schiena della donna si confonde con lo schienale della poltrona, anch'essa scomposta in volumi separati. L'impressione di peso, di concretezza, di pietrificazione del corpo è controbilanciata dall'equilibrio precario della costruzione. I toni rosso e nero, la luce bianca e gessosa contribuiscono ad accentuare la drammatizzazione del quadro, inerente alla particolare rappresentazione della figura. Il ricorso a un elemento come le ossa nell'opera di Picasso ammette diverse spiegazioni: il gusto personale dell'artista, una logica formale e plastica, nonché, ovviamente, il simbolismo morboso che vi si ricollega.

1. Brassaï, *Conversations avec Picasso*, Gallimard, Parigi 1964, p. 94.
2. Max Loreau, *Picasso du volume en peinture*, in: «Poésie», n. 15, 1980, p. 55.

Donna seduta su una poltrona rossa
Boisgeloup, 1932
Parigi, Museo Picasso

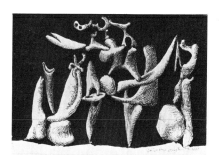

La Crocifissione
Boisgeloup, 1932
Parigi, Museo Picasso

Nu couché

(Nudo coricato)

4 Aprile 1932
Boisgeloup
Olio su tela
H. 130 cm, l. 161,7 cm

Alle tradizionali classificazioni dell'opera di Picasso per periodi di diverso colore (rosa, blu) o di diverso stile (cubista, classico), se ne dovrebbe aggiungere una basata sulle presenze femminili che si succedono al suo fianco, poiché a ognuna di esse corrisponde uno stile particolare, uno specifico linguaggio plastico in cui si rivela non solo il tipo della donna amata ma anche i sentimenti, nonché d'amore, estetici che essa ispira all'artista. Così, la produzione degli anni dal 1931 al 1936 appare dominata dalla figura di Marie-Thérèse Walter, una ragazza di diciassette anni incontrata casualmente per strada nel 1927 e la cui presenza, a lungo segreta nella vita privata del pittore, si manifesta apertamente nella sua arte. Tutto, in realtà, sembrava predisporre Picasso a questo incontro, e la sua prima, spontanea esclamazione («Insieme faremo grandi cose») avrebbe trovato puntualmente conferma. A partire da quel momento, la sua pittura aspira alla plasticità, al volume, al modellato, e le forme scultoree piene e vigorose di Marie-Thérèse sono l'incarnazione dei suoi ideali di modellazione, di scultura a tutto tondo. La sua presenza determina la comparsa di un nuovo vocabolario formale e ricco di colore, che è la logica prosecuzione del periodo di Cannes e di Dinard. «Ne amava», racconta Brassaï «i capelli biondi, la carnagione luminosa, il corpo scultoreo. A partire da quel momento, tutta la sua pittura cominciò a vibrare, a popolarsi di forme ondeggianti. In nessun altro periodo della sua vita, la sua pittura fu altrettanto fluida, fatta di curve sinuose, di braccia morbidamente ripiegate, di capelli inanellati...»[1].

«Questo *Nudo coricato* fa parte della rigogliosa serie di donne dormienti che l'abbandono del sonno offre candidamente al diletto erotico nella connivenza vegetale»[2].

I tocchi di pittura bianca opaca sul corpo e sul fondo, applicata come in un pastello, hanno la funzione di rendere il modellato delle forme e conferiscono alla tela un eccezionale splendore, per cui la nudità della donna sembra avvolta in un nembo di particelle scintillanti, immersa in una vampa gialla e sulfurea. L'intensità delle radiazioni luminose è suggerita dal fulgore del sole, e dai motivi che decorano lo sfondo. Gli arabeschi sensuali e voluttuosi del corpo, che si intrecciano a formare un otto, richiamano da vicino il *Nudo blu* di Matisse e figurano anche in una scultura dello stesso periodo (MP. 290).

Come già in *Natura morta con guéridon*, Picasso accosta la sessualità femminile alla fecondazione organica, vegetale, a immagini di fertilità, di maturazione, qui evocate dalle due pere, dai seni della donna simili a frutti maturi, dalle grandi foglie verdi e dalla forma a fagiolo della testa racchiusa in un uovo.

1. Brassaï, *Conversations avec Picasso*, Gallimard, Parigi 1964, p. 28.
2. J. Leymarie, *Picasso, Métamorphoses et Unité*, Skira, Ginevra 1971, p. 53.

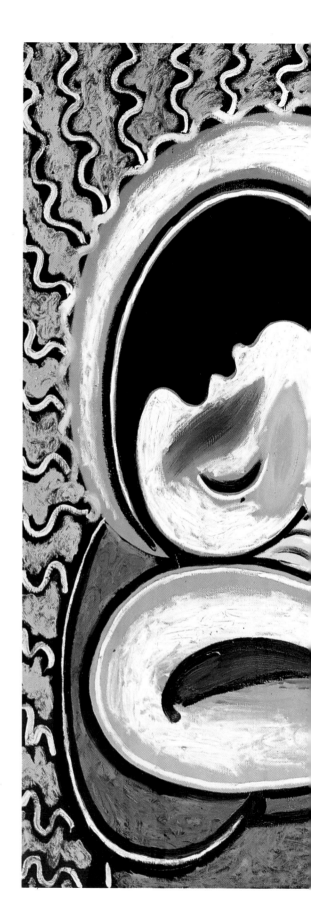

Corrida: La mort du torero

(Corrida: La morte del torero)

19 Settembre 1933
Boisgeloup
Olio su tavola
H. 31 cm; l. 40 cm

Spagnolo fino al midollo, perfetto esempio di "aficionado", Picasso è per eccellenza il pittore delle corride. Da sempre presente nella sua vita, fin dai tempi lontani in cui il padre lo conduceva, bambino, all'arena di Malaga, la corrida costituisce il tema dei suoi primi quadri e risorge immancabilmente a ogni nuovo viaggio in Spagna. In essa, tutto lo affascina: non solo l'animazione dello spettacolo, con i suoi colori vivaci e sgargianti, i suoi forti contrasti di luci e di ombre, ma anche e soprattutto il rito cruento e sacrificale che contrappone in un drammatico e mortale duello l'uomo e all'animale e il toro al cavallo, coppia simbolica la cui dualità corrisponde a quella dell'uomo e della donna. Per Picasso il toro è infatti simbolo del maschio, della potenza virile, mentre nel cavallo dalle viscere squarciate egli vede un'immagine della donna: rapporti di violenza, di brutalità, di possesso, ma anche di piacere e di esaltazione, che ritroveremo nella serie del Minotauro, e che ci aiutano a chiarire l'ambiguità dell'erotismo picassiano.

In un turbinio di colori sgargianti e variegati con dominante rosso sangue, rosa intenso e giallo oro, il toro nero solleva e trascina in uno slancio frenetico il torero morto e il cavallo bianco sventrato, il cui collo si torce in un moto di terrore, in un grido di agonia. Il movimento radiale delle membra dei personaggi attorno al centro della tela è dato dalla forma ellittica del toro, la cui ampia curvatura si inscrive in quella dell'arena. La vertigine della caduta è suggerita dalla posa inerte e riversa del torero, che evoca l'abbandono dell'amplesso, e che si ripete nel quadro "pendant" dello stesso anno *La morte della donna torero* (MP. 144). La scena, vista come in primo piano, riempie tutto lo spazio del quadro. La differenza di trattamento fra le due parti, l'una assai dettagliata e in rilievo, l'altra piatta e appena abbozzata, accentua lo squilibrio, il violento slancio in avanti dell'animale.

Corrida: La morte della donna torero
Boisgeloup, 1933
Parigi, Museo Picasso

Nu dans un jardin

(Nudo in giardino)

4 Agosto 1934
Boisgeloup
Olio su tela
H. 162 cm, l. 130 cm

Con questo nudo, più tardi, Picasso si spinge ancor più avanti nell'opera di trasformazione del corpo di Marie-Thérèse e, quindi, ancor più avanti nella pittura stessa. Tutto, qui, sembra infatti "dipinto": le tracce della pennellata rapida, gli impasti e le sovrapposizioni di colore, le trasparenze sono altrettanti indizi della frenesia, dell'esaltazione dell'artista e conferiscono all'opera una materialità assolutamente eccezionale. Il passaggio da una visione scultorea e disegnata, quale appariva nel *Nudo coricato* (cfr. p. 82), a una visione interamente pittorica, più morbida e corposa, è un'evoluzione paragonabile a quella già rilevata fra le *Figure in riva al mare* (cfr. p. 72) e la *Donna che getta una pietra* (cfr. p. 74).

Colori, materia, forme compongono un unico poema, un inno a Marie-Thérèse, quasi il corpo del desiderio divenisse corpo della pittura: rosa intenso delle carni, verde lussureggiante del fogliame, grigio-azzurro dell'acqua e rosso-oro del cuscino orientale. Il corpo che sembra racchiudersi in un abbraccio è ridotto a una forma ovoidale, e anche i capelli biondi che evocano i contorni di un baccello, i fiori, le piante, l'elemento acquatico, suggeriscono altrettante immagini di fecondità. La collana da cui spunta il lungo collo flessibile disegna sul seno un profilo lunare. La morbidezza e la grazia di questo nudo femminile ricordano certe figure di Matisse.

Questa concezione della donna, fiore o pianta, terra nutrice e fecondata, nel cui grembo si svolge il mistero biologico della procreazione, della vita, risale ai più antichi archetipi ed è solitamente abbinata allo stato di sonno, in quanto condizione particolarmente favorevole. Libero dai vincoli della coscienza, il corpo "del sogno" si trasforma, si piega a qualsiasi fantasma erotico e ritrova il proprio primitivo stato organico: per Picasso, Marie-Thérèse è per eccellenza la donna *dormiente*, offerta e sottomessa allo sguardo del pittore.

Femme au feuillage

(Donna con fogliame)

1934
Boisgeloup
Bronzo (pezzo unico)
H. 37,9 cm, l. 20 cm, pr. 25,9 cm

Simile a un'antica effigie, la *Donna con fogliame* è la figura più misteriosa
e potente della scultura picassiana dell'epoca. La curiosa mescolanza di
prosaico, di insolito e di solennità ieratica che la caratterizza costituisce
infatti un'illustrazione esemplare del genio dell'artista nel trasformare
con humour e poesia i materiali più desueti in gesti rituali e immagini
eterne. Come nel caso della *Donna appoggiata sulle braccia* (MP. 313),
del *Personaggio barbuto* (MP. 312), della *Donna con arancia* (MP. 327)
o dell'*Oratore* (MP. 318), Picasso ricorre al procedimento della tessitura colata su stampo per talune parti del corpo e alla modellatura per
collegare il tutto. Il gesso liquido viene versato in, o su, alcuni oggetti –
in questo caso, cartone ondulato per il corpo, una scatola di fiammiferi
per la testa e delle foglie di faggio per un braccio – in modo che la
superficie conservi l'impronta della tessitura del materiale impiegato.
L'originale in gesso viene quindi fuso in bronzo, per unificare con un
materiale nobile la combinazione di elementi tanto disparati. L'interesse di questo tipo di scultura consiste in parte nell'opera di decodificazio-
ne imposta allo spettatore per identificare gli oggetti utilizzati. La scelta
degli elementi non è dettata unicamente dal caso, giacché nella fattispecie la rigatura del cartone ondulato evoca le pieghe di un drappeggio, le
costolature della foglia fanno da "pendant" a quelle meccaniche del
cartone e la scatola rettangolare tramuta il volto del personaggio in una
maschera impenetrabile. «Teste quadrate perché dovrebbero essere
rotonde»[1]. Per quanto rigida possa apparire, questa figura sibillina rivela
un'incredibile vivacità plastica: «Sembra animata dal fremito delle foglie,
dal fluire delle pieghe della veste»[2]. Anche qui si rileva, infine, quell'accostamento dell'elemento umano al vegetale che è una delle costanti
dell'arte picassiana dell'epoca.

Donna con arancia (Donna con mela)
Boisgeloup, 1934
Parigi, Museo Picasso

L'oratore
[Parigi], 1937
Parigi, Museo Picasso

1. Malraux, *Tête d'obsidienne*, Gallimard, Parigi, p. 129.
2. W. Spies, *Les sculptures de Picasso*, Clairefontaine, Losanna 1971, p. 141.

Femme lisant

(Donna che legge)

9 Gennaio 1935
Parigi
Olio su tela
H. 162 cm, l. 113 cm

Al tema della donna *dormiente*, abbandonata nel sonno, subentra quello della donna *che legge*, immersa nella contemplazione, nella meditazione: altra forma, dunque, di sogno, di astrazione dalla realtà che chiude la donna in un universo interiorizzato, quieto e silenzioso, fornendo al contempo il nuovo motivo plastico di una figura seduta la cui testa china riposa, si appoggia e finisce progressivamente per fare tutt'uno con il tavolo. E proprio il disegno del tavolo, con le sue gambe rettilinee, serve di sostegno all'insieme della composizione che tende a divenire più rigida, geometrica e semplificata: il tracciato curvilineo di Boisgeloup cede il posto a una scrittura angolosa e appuntita che, con la sola esclusione dei seni rotondi e delle linee aggraziate della testa, imprigiona la figura in una rete di triangoli (si veda anche il *Nudo con mazzo di iris e specchio*, MP. 147). L'armonia dei toni, malva e giallo, nonché la forma particolrae della testa con il grande naso prominente sono altrettanti segni caratteristici dei ritratti di Marie-Thérèse. In questa serie di figure femminili che leggono, scrivono o disegnano, realizzate nel 1934-1935, le mani hanno sempre la forma di un uccello, di una foglia di palma o di una spiga, conseguenza delle proiezioni fantasmatiche di Picasso sulla donna. Nella tela qui riprodotta, le linee aguzze del libro, simile a un foglio ripiegato, e la grande mano azzurra e lilla evocano l'immagine di un uccello. L'angolosità delle forme è accentuata dai colori acidi, freddi e vivaci: giallo, verde e violetto. È questo uno dei periodi più "colorati" nella produzione dell'artista, forse per influenza dell'arte di Matisse. Il lembo di gonna verde quadrettata come un rivestimento di piastrelle richiama i collages e le imitazioni di materiali caratteristici del Cubismo, e prelude al grande collage del 1938 *La toilette* (cfr. p. 104), che comprenderà autentici ritagli di carta da parati.

Nudo con mazzo di iris e specchio
Boisgeloup, 1934
Parigi, Museo Picasso

La musa
1935
Parigi, Musée National d'Art Moderne

90

Minotaure et jument morte devant une grotte

(Minotauro e cavalla morta davanti a una grotta)

6 Maggio 1936
Juan-les-Pins
Guazzo e inchiostro di china
H. 50 cm, l. 65,5 cm

Dimensione mitica e tragica della cultura mediterranea, il Minotauro costituisce il tema centrale dell'universo di Picasso. «Se si segnassero su una carta tutte le tappe attraverso cui sono passato, e le si collegassero poi con una linea, la figura risultante sarebbe forse quella di un Minotauro», diceva egli stesso. Si tratta, in effetti, della figura più potente, più ricca di simboli e di significati consci e inconsci dell'intera sua opera: configurazione spaziale del labirinto, *trait d'union* fra due culture, in cui il culto di Mitra si fonde con la corrida e il figlio di Pasifae con il toro spagnolo, il Minotauro con cui Picasso si identifica totalmente è il simbolo stesso della dualità: dualità dell'opera, dell'essere, della creazione. Per metà uomo e per metà animale, esso incarna a un tempo il mostro, la ferinità primitiva, le forze oscure dell'inconscio, il boia e la vittima, l'amore e la morte.

Trattato per la prima volta in un grande collage del 1928 (Parigi, Musée National d'Art Moderne), il tema riappare in una serie di disegni, incisioni e guazzi eseguiti fra il 1930 e il 1937: periodo cruciale e agitato che sul piano storico corrisponde ai legami con il Surrealismo e all'inizio della guerra di Spagna, e su quello privato a una fase di violenti conflitti coniugali con Olga ma anche di amore e di erotismo con Marie-Thérèse.

Nel guazzo qui presentato, il Minotauro sorregge tra le braccia una cavalla morta e alza la mano in un gesto simile a quello della celebre incisione della *Minotauromachie*, quasi a tenere lontano la fanciulla cinta di fiori che lo guarda da dietro un velo e che sembra imprigionata in un enorme braccio di gesso. A sinistra, una grotta buia da cui due mani si protendono in un gesto di supplica può evocare la soglia del labirinto. Il Minotauro dal volto umano e segnato da una profonda tristezza è l'artista stesso, e la cavalla sventrata rappresenta Marie-Thérèse. La fanciulla con il velo, già apparsa nella *Minotauromachie* e in alcune scene di corrida, incarna l'innocenza e la purezza ed è, al tempo stesso, un'immagine di Marie-Thérèse. Quanto alle mani che emergono dall'ombra della grotta, vi si può vedere un riferimento a Olga o a un'Arianna abbandonata. Da un lato la voragine oscura e minacciosa, dall'altro la luce: in mezzo, il Minotauro, venuto dal nulla; la progressiva evoluzione del trattamento delle mani, da una forma diafana a un disegno naturalistico e quindi alla mano di gesso, sembra concretizzare questo passaggio da un universo di incubo al mito della creazione, qui simboleggiata dal braccio e dallo sguardo. La complessa sovrapposizione di temi suscettibili di numerose e svariate interpretazioni psicologiche e simboliche crea un'impressione di mistero che conferisce alla scena una particolare dimensione poetica.

La pelle del minotauro come costume di Arlecchino
Parigi, 1936
Parigi, Museo Picasso

La Minotauromachie
1935
Parigi, Museo Picasso

Chapeau de paille au feuillage bleu

(Cappello di paglia con foglie azzurre)

1 Maggio 1936
Juan-les-Pins
Olio su tela
H. 61 cm, l. 50 cm

Natura morta o volto di donna? La sconnessione della figura umana raggiunge qui il limite estremo. Il triangolo di carne rosa, con i due grandi occhi a semicerchio, il naso e la bocca di traverso, si sovrappongono a un lungo collo color malva simile a un vaso, sormontato dal cappello a forma di otto con un ramoscello di foglie azzurre. Il collo emerge da una bordura gialla e grigia che può essere letta come la cornice del quadro. Questa scomposizione del volto, che peraltro nulla toglie alla sua fisionomia e alla sua espressività, è stata spesso interpretata come un segno di aggressività, di un'esigenza di distruzione di Picasso nei confronti delle donne. In realtà, l'artista tratta il viso o il corpo della modella come un oggetto da smontare e rimontare secondo le leggi plastiche inerenti al suo quadro. Se si trattasse di un'opera completamente astratta, in cui non vi fosse più nessun organo identificabile, l'impatto visivo sarebbe certamente minore. Qui, invece, l'effetto di provocazione, di rabbia, di humour e di derisione prodotto dall'immagine nasce dalla parte di umanità, di espressione che sussiste in quelle forme incongrue.

Studio per il *Cappello di paglia con foglie azzurre*
Juan-les-Pins, 1936
Parigi, Museo Picasso

Portrait de Dora Maar

(Ritratto di Dora Maar)

1937
[Parigi]
Olio su tela
H. 92 cm, l. 65 cm

Nel 1936 una nuova donna entra nella vita di Picasso: si tratta di una giovane fotografa di origine iugoslava, Dora Markovič, amica di Paul Eluard, legata all'ambiente surrealista e che parla correntemente lo spagnolo. D'ora in poi nell'arte di Picasso si alterneranno, per alcuni anni, le due figure delle "Muse", la bruna Dora e la bionda Marie-Thérèse. In questo radioso ritratto dai toni ricchi e sontuosi, Dora è raffigurata seduta su una poltrona, maestosa e sorridente, con un braccio ripiegato a sorreggere la testa con la mano lunga e affusolata dalle unghie dipinte. Volto visto di fronte e di profilo, un occhio rosso in un senso e l'altro verde nel senso opposto: deformazioni che, per molti, sono altrettante caratteristiche fondamentali dell'arte di Picasso. Eppure, malgrado tali distorsioni o forse proprio grazie a esse, l'artista riesce a ottenere una somiglianza impressionante, tanto che il ritratto sembra "più vero del vero". Le deformazioni hanno infatti una funzione espressiva: non si tratta di rifare la realtà, ma piuttosto di esprimerne tutti i possibili, di precisare il modello in tutti i suoi aspetti contemporaneamente. «Laddove Ingres si serve della tradizionale convenzione dello specchio per rappresentare il modello di faccia e di profilo, ad esempio nei ritratti di Madame Moitessier o della Contessa di Haussonville, Picasso ricorre alla sintesi grafica, alla fusione pittorica nata dall'espe-rienza cubista»[1]. Così, il ritratto mette in opera tutti i possibili mezzi pittorici per "dire" Dora Maar, per esprimerne il fisico, il temperamento, e la visione che l'artista ha di lei. Si riconoscono infatti taluni segni particolari della donna: le unghie dipinte di rosso, le lunghe mani morbide e affusolate, la posa, i capelli neri e i grandi occhi scuri dallo sguardo diretto, il mento rotondo e volitivo, il corpetto nero ricamato, che compaiono anche in un'altra tela (MP.164). Il volto, trattato in rilievo con un gioco di luci e colori che ne tramutano la guancia in una pesca, ha un sorriso lieve e distaccato e gli occhi scintillano di intelligenza e di vivacità. Le forme appuntite e affusolate del corpetto e delle dita esprimono eleganza e signorilità, mentre i motivi a croce della poltrona e dei ricami e quello quadrettato della gonna, nonché le righe verticali e orizzontali del fondo che evocano una cella monacale o le sbarre di una prigione, suggeriscono la chiusura del personaggio in uno spazio mentale ristretto e crudele.

1. D. Bozo, *Le modèle en question, sur quelques portraits, 1930-1940*, in: «Le Courrier de l'Unesco», Dicembre 1980.

Ritratto di Dora Maar
Parigi, 1937
Parigi, Museo Picasso

Portrait de Marie-Thérèse

(Ritratto di Marie-Thérèse)

6 Gennaio 1937
[Parigi]
Olio su tela
H. 100 cm, l. 81 cm

Se il linguaggio riservato a Dora Maar privilegia generalmente i contrasti di rosso e nero e le forme appuntite, quello del ritratto di Marie-Thérèse mantiene il segno curvilineo, i colori tenui, l'arabesco e i toni pastello con dominante azzurro-gialla caratteristici del periodo di Boisgeloup. Il disegno del corpo è morbido e fluido e le lunghe dita si piegano come foglie di palma. La scelta di colori freddi come l'azzurro e il verde immerge il volto della donna in un'atmosfera lunare di sogno, di poesia e di dolcezza. Il motivo delle striature, che evoca il cartone ondulato, si contrappone alla spoglia semplicità del fondo, cui la prospettiva distorta conferisce l'aspetto di una scatola. Si riconoscono alcuni segni caratteristici dei ritratti di Marie-Thérèse, il naso prominente in linea con la fronte e gli occhi che sembrano traboccare dalle lunghe palpebre dal taglio a mandorla. La deformazione del volto, più che una presentazione simultanea delle viste frontale e laterale, ha qui il valore di una distorsione plastica.

«Di fronte ai ritratti di Marie-Thérèse e di Dora Maar, siamo sorpresi di constatare che siano entrati a far parte dell'universo quotidiano delle riproduzioni di dipinti, in cui figurano con la stessa presenza familiare delle icone bizantine, dei ritratti classici, delle Veneri di Cranach, dei reggenti di Frans Hals, delle figure di Velázquez su cui ci interroghiamo. Per noi questi due ritratti hanno un'esistenza concreta, il valore di presenze autonome ed espressive del nostro secolo»[1].

1. D. Bozo, *Le modèle en question, sur quelques portraits, 1930-1940*, in: «Le Courrier de l'Unesco», Dicembre 1980.

Grande baigneuse au livre

(Grande bagnante con libro)

18 Febbraio 1937
Parigi
Olio, pastello e carboncino su tela
H. 130 cm, l. 97,5 cm

Ecco, ancora una volta, la spiaggia, il mare e il corpo nudo di una bagnante, ma i volumi pieni e lisci del 1931 si sono ormai induriti, geometrizzati, e la loro combinazione di smussature, di pieni e di vuoti, ricorda il sistema di costruzione cubista. Alternanza di forme curve e di spigoli vivi, il corpo assume l'aspetto di un'architettura e l'aria sembra circolare liberamente fra le braccia come fra i pilastri di un edificio.

La posa della figura, china in avanti e inscritta in un ovale, prelude a quella di un'altra bagnante, più tarda, la donna che si lava i piedi nel *Déjeuner sur l'herbe* di Manet, del 1960-1961. Ma qui il ripiegamento del corpo su se stesso, motivato dall'azione della lettura, risponde alla logica interna della costruzione dei volumi.

Con questa tela, affine e coeva a quella delle *Bagnanti* (1937)[1], Picasso inaugura una nuova fase del ciclo delle Bagnanti. La componente erotica è scomparsa, lasciando il posto a scene di vita quotidiana ricche di humour, di fantasia e di mistero. Questa tappa comprende anche una scena in cui il trattamento "mostruoso" delle figure si ricollega più direttamente alle esasperazoini plastiche del periodo di Dinard, *Due donne nude sulla spiaggia* (MP. 163). I due dipinti non risalgono a un soggiorno balneare, ma furono eseguiti nel nuovo atelier di Tremblay-sur-Mauldre, oppure in quello di Rue des Grands-Augustins a Parigi: la scelta del paesaggio marittimo, che fornisce uno spazio uniforme e neutro, risponde dunque unicamente all'esigenza di porre in rilievo il volume tridimensionale della figura.

I toni, rosa-grigio-azzurro screziati di bianco, e la polvere di gessetto conferiscono al corpo un aspetto ruvido e friabile. Picasso gioca anche sulle ambiguità morfologiche di talune membra, ad esempio il braccio sinistro, in cui sembra di vedere un personaggio. A sua volta, la forma del libro è stata trattata in modo da evocare un blocco di pietra triangolare, su cui la scrittura appare come una traccia, l'impronta digitale di un pollice.

1. Z.VIII, 344.

Bagnanti
1937
Venezia, Peggy Guggenheim Collection

Due donne nude sulla spiaggia
Parigi, 1937
Parigi, Museo Picasso

La femme qui pleure

(Donna che piange)

18 Ottobre 1937
Parigi
Olio su tela
H. 55,3 cm, l. 46,3 cm

Nel suo desiderio di esprimere con la pittura l'ampio registro delle emozioni umane (amore, odio, piacere, dolore), era inevitabile che Picasso affrontasse l'immagine della donna in lacrime. L'apparizione di questo tema, che nell'Autunno del 1937 occupa un posto centrale nella sua arte, con disegni, incisioni, dipinti e perfino sculture, coincide con un periodo particolarmente drammatico sia sul piano privato che su quello politico. La filiazione da *Guernica* è infatti evidente: la *Donna che piange* è il simbolo della disperazione delle donne spagnole durante la guerra civile, e sul suo volto il pittore ha scritto lo strazio, l'orrore che lacera la sua patria. Ma quel volto è al tempo stesso quello della sua compagna, Dora Maar, che per Picasso rappresenta per eccellenza la donna che piange. Se questa interpretazione può trovare conferma nel temperamento passionale della donna, "incline a reazioni violente e drammatiche", nonché nel carattere particolarmente burrascoso – secondo la concorde testimonianza dei biografi – della loro relazione, il binomio Dora Maar-Spagna ammette tuttavia motivazioni più profonde. Nella donna Picasso trova infatti una compagna "politicizzata", in sintonia con la sua arte e con il carattere degli eventi che lo tormentano: «Quando, nel 1937, Picasso volle esprimere il dolore delle donne del proprio paese, trovò nella bruna Dora che parlava spagnolo una modella assai più adeguata della serena e bionda Marie-Thérèse»[1]. Come in *Guernica*, Picasso mescola la propria vita privata alla storia, raggiungendo così una dimensione universale. Contrariamente alla tradizionale pittura di soggetto storico, queste sue opere trattano l'orrore dell'evento inserendolo nella banalità del quotidiano.

Su un fondo color malva, rapidamente impostato, si staglia come in rilievo il viso grigio scuro, simile a una zolla di terra in cui i lineamenti della donna scavano profondi solchi "risparmiati", graffiti nello spessore della pasta (tecnica già utilizzata nella *Natura morta* del 1924, MP. 82). Il grande triangolo appuntito del fazzoletto, come un oggetto minaccioso che apre uno squarcio bianco nella composizione, e i tronchi di verde e di giallo sul naso e sulle mani, contribuiscono ad accentuare la drammaticità di questa visione di disperazione e di tristezza. Il disegno del volto è semplificato, primitivo: qualche tratto lineare o a croce a indicare gli

occhi a forma di lacrima, la bocca contorta, il solco che scava la guancia. Pierre Daix suggerisce che questo insolito trattamento stilistico, caratterizzato dalla materialità della tessitura e dai neri tratti intrecciati del viso e dei capelli, sia da collegarsi con una visita che in quello stesso periodo Picasso aveva fatto a Paul Klee. Con questa tela l'artista dimostra, una volta di più, la propria straordinaria facoltà di inventare nuovi mezzi plastici adeguati a ciò che intende esprimere.

1. P. Daix, *La vie de peintre de Pablo Picasso*, Ed. du Seuil, Parigi 1977, p. 278.

Foglio di studi
1937
Parigi, Museo Picasso

Donna in lacrime
[Parigi], [1937]
Parigi, Museo Picasso

Donna che piange
1937
Parigi, Museo Picasso

Donna che piange
Parigi, 1937
Londra, coll. privata

Femmes à leur toilette

(La toilette)

1938
Parigi
Carte da parati incollate a guazzo su carta incollata su tela
H. 299 cm, l. 448 cm

Questo grande collage, interamente realizzato con carte da parati dipinte o stampate a fiori e altri motivi, ritagliate e incollate su carta beige a sua volta incollata su tela, fu eseguito da Picasso nel 1938 per Marie Cuttoli, come progetto di un arazzo che sarebbe stato realizzato soltanto nel 1967[1]. L'artista si opponeva infatti a che il cartone uscisse dal suo atelier di Rue des Grands-Augustins, ove occupava lo stesso posto di *Guernica*, ed esigeva che tutto il lavoro di riporto venisse effettuato in loco: ciò che per ragioni tecniche era ovviamente impossibile. «Picasso» racconta Brassaï «si interessava vivamente ai lavori di Marie Cuttoli: diverse sue tele erano già state riportate in *aubusson* con incredibile precisione. All'epoca voleva creare un'opera espressamente concepita come cartone per arazzo e pensò di ricorrere alla tecnica del collage. Si procurò dunque un'enorme quantità di carte da parati dai cui ritagli andava ricavando le vesti dei personaggi, ma anche le mani, i volti, e tutti gli elementi del quadro»[2].

Così, ciò che doveva servire di modello a un arazzo destinato a ricoprire un muro si trovava a essere fabbricato con le carte normalmente impiegate per quello stesso scopo. Questa particolare tecnica di collage, appositamente adattata a uno specifico procedimento di realizzazione, si differenzia dai papiers collés cubisti per il fatto che la forma ritagliata coincide con quella raffigurata: Picasso disegna ritagliando direttamente nel colore, con un procedimento che preannuncia le gouaches di Matisse. Si serve, insomma, dei motivi ornamentali delle carte da parati sfruttandone il potere di suggestione formale o materiale: le carte stampate a finto muro vengono utilizzate per il fondo, il finto legno per la cornice e il pavimento, i fiori per i fiori ecc. Talune di esse erano già servite a impostare la composizione di *Guernica*.

La scena rappresenta un tema caro a Picasso e già famoso nel 1906, quello dell'acconciatura: una donna in piedi in atto di pettinarne un'altra, seduta, mentre una terza donna le porge uno specchio in cui guardarsi. Ma il volto riflesso non è quello della donna che si specchia. Forse, non si tratta dunque di uno specchio bensì di un quadro, oppure Picasso ricorre a un procedimento già adottato in un quadro del 1932 (*Fanciulla allo specchio*, New York, Museum of Modern Art) e che consiste nello sdoppiare la modella in due immagini distinte, quella della realtà e quella del riflesso, ovvero dell'immaginario, del fantasma. Quadro-specchio, dunque, che illustra perfettamente tutta la problematica della pittura. La presenza di tre donne (Dora, Marie-Thérèse, Olga), la data del 1938, le carte geografiche che formano il motivo di uno dei ritagli, consigliano di attribuire un significato ben più profondo, allegorico, a questa semplice scena domestica.

1. Per iniziativa di André Malraux, e con il consenso dell'artista, ne furono eseguiti presso le Manifatture dei Gobelins due esemplari in bianco e nero e due a colori.
2. Brassaï, *Conversations avec Picasso*, Gallimard, Parigi 1964, p. 58.

Buste de femme au chapeau rayé

(Busto di donna con cappello a righe)

3 Giugno 1939
Parigi
Olio su tela
H. 81 cm, l. 54 cm

Gli anni 1938-1939 segnano il culmine nel processo di stravolgimento del volto umano: occhi di traverso, volti a forma di proboscide o di muso canino, fuscelli o gomitoli, questa serie di ritratti di *Donne sedute* o *Donne con cappello* dalle teste monumentali costituisce il più grave oltraggio alla figura di tutta l'opera di Picasso e, al tempo stesso, la sua più grande sfida plastica. Il problema che gli si poneva era infatti quello di combinare l'espressione dei sentimenti più intensi e complessi di artista (struttura psichica del pittore, del modello, amore e odio nei confronti della donna) e di uomo partecipe della propria epoca (dramma della Repubblica spagnola, pericolo di guerra e di distruzione) con la razionalità di un linguaggio formale, la coerenza di una costruzione plastica con le sue forme e i suoi colori, senza tuttavia cadere nell'astrazione, ovvero la trasposizione dell'emozione in un altro sistema di segni e di immagini. L'unica soluzione consisteva appunto nello "spezzare" la figura, infondendole la forza e il dinamismo della capacità emotiva dell'artista, della sua potenza spirituale, e creando un nuovo vocabolario figurativo adeguato alla dimensione dell'universo estetico del pittore e al caos della storia. Di qui, la scelta del luogo privilegiato dell'umano, quello in cui si esprimono e si riflettono tutte le passioni: il volto, che Picasso costringe a piegarsi alla logica pittorica del quadro. Fase radicale, dunque, al cui riguardo si potrebbe parlare di *stato-limite* della figurazione, di quello stadio estremo in cui lo stravolgimento del reale, la frammentazione della figura possono configurarsi come un ribaltamento interno della realtà il cui scarto nei confronti delle apparenze sensibili risulta addirittura più radicale di quello della pura astrazione che, per parte sua, si fonda interamente su una realtà pittorica. Sono lo humour feroce, la violenza distruttiva e la tenerezza ironica del pittore a determinare le metamorfosi che deformano il volto della donna, a "reificarlo", pur conferendogli al tempo stesso un'espressione individuale, un carattere, un particolare umore. È questo il grande paradosso della pittura di Picasso e il marchio stesso del suo genio. Quei "mostri" rimangono malgrado tutto "umani" perché esprimono la componente grottesca e mostruosa che si cela in ogni essere. Quelle «*rejentes* ieratiche di fronte alla cui strana bellezza ci riesce difficile stabilire quanto vi sia di amabile e di giocondo, di mistero o di temibile freddezza, se non di malvagità»[1] formano la più fantastica galleria di ritratti dell'arte del nostro secolo.

Nel *Busto di donna con cappello a righe*, il volto ha assorbito i motivi grafici di quanto lo circonda: le righe scanalate del cappello di paglia, le bande verticali del fondo o le striature dei capelli. In altre tele, la figura si alimenta ad esempio del motivo di un intreccio di vimini o del giunco di una poltrona. La testa è contorta in modo da scomporsi in tre volumi distinti: una forma simile a una larva per la parte inferiore, con la bocca e il mento, un grande trapezio tagliato di sbieco per la fronte, il naso e un occhio visto di faccia a forma di losanga, e una forma oblunga e incavata per il profilo destro, con un occhio grande come una finestra. Il tutto poggia in precario equilibrio su un busto dai grandi seni bianchi e rotondi in cui le righe grigie ripetono i motivi del volto. Il trattamento volumetrico del naso e le diverse viste simultanee sono un retaggio cubista, le sproporzioni, le inversioni di prospettiva e le permutazioni di organi si ricollegano direttamente alle figure di Dinard e di Boisgeloup, mentre il motivo delle striature, assai frequente in questo periodo, così

come la forma a corpo d'ape della parte inferiore del viso, sono un evidente riferimento alle teste-paniere di *Sogno e menzogna di Franco*, 1937. Il lieve broncio della bocca realistica, curiosamente inserita in quella strana forma, lo sguardo fisso dell'occhio incavato, insieme al naso appuntito ripreso dal motivo a coda della capigliatura, nonché la ridicola forma del cappello, con le sue foglie verdi, l'iscrizione della data, la piramide geometrica e la cresta, conferiscono al personaggio un'espressione inebetita e attonita che lo rende inquietante. Secondo le sue stesse dichiarazioni, i modelli principali di Picasso erano in quel periodo Dora Maar e il suo cane Kazbek, dal muso appuntito e le grandi orecchie: e in effetti molti ritratti dell'epoca presentano una combinazione dei segni distintivi di entrambi in cui confluiscono mostruoso e animalità. Grazie alla sua insistenza decorativa e ai colori vivaci, il ritratto qui a fianco testimonia ancora di una certa mordace gaiezza, che lo distingue da quelli, di poco posteriori, del periodo di Royan e dell'inizio della guerra, in cui i cupi toni grigi, verdi e blu e le accentuate deformazioni suggeriscono il dramma e l'orrore.

1. D. Bozo, *Œuvres reçues en paiement des droits de succession*, Parigi, Grand Palais, 1979-1980.

Donna con cappello blu
Royan, 1939
Parigi, Museo Picasso

Testa femminile
Royan, 1939
Parigi, Museo Picasso

Jeune garçon à la langouste

(Ragazzino con aragosta)

21 Giugno 1941
Parigi
Olio su tela
H. 130 cm, l. 97,3 cm

Tutte le opere del periodo di guerra riflettono in un modo o nell'altro l'atmosfera di drammatica angoscia che gravava sulla Francia occupata. Catastrofi, lutti, massacri, torture, tutte le aberrazioni dei popoli in guerra che infrangono ogni valore umanitario hanno trovato il loro equivalente plastico nella pittura di Picasso. Le sue figure di mostri, quei volti esplosi, deformi, grotteschi e assurdi, rispecchiano i suoi sentimenti di fronte agli "orrori della guerra". È noto l'aneddoto significativo dell'ufficiale nazista che, vedendo una foto di *Guernica*, avrebbe chiesto: «Oh, l'ha fatto Lei, signor Picasso?» e a cui il pittore replicò: «No, l'avete fatto voi».

Neppure i bambini sfuggono al gioco al massacro di cui sono teatro le sue tele dell'epoca; anzi, costituiscono un tema che si ripete frequentemente: nel 1939, con il *Bambino seduto*, nel 1943 con il *Bambino con colombe* (MP.192), e poi ancora con *I primi passi* (New Haven, Yale University Art Gallery)[1].

Il bambino è infatti l'essere che, più di qualunque altro, assomma in sé mostruosità e innocenza, crudeltà e stupidità, l'inettitudine e l'arroganza, la vittima e il tiranno. Ma è, al tempo stesso, una speranza di vita: ed ecco il bambino-re che troneggia in questa tela, con il sesso al vento e brandendo trionfalmente un'aragosta a mo' di scettro. Questo "gnomo impudente" dalla bocca sdentata, degno erede del nano di Velázquez e del "Bobo" di Murillo, riunisce in una sola immagine le principali preoccupazioni plastiche e tematiche dell'artista a quell'epoca. I frutti di mare, il pesce azzurro, il polpo e l'aragosta sono un ricordo di Royan, ove Picasso trascorre il primo anno di guerra: tuttavia, il bambino non è raffigurato sulla spiaggia, e neppure seduto a tavola, e la sua posizione incongrua con il sesso puntato contro il piatto come un cannone conferisce alla scena una nota di humour sarcastico. Il tema del cibo è uno dei leitmotiv di questo periodo, di cui traduce il quotidiano assillo dell'approvvigionamento.

La testa del bambino, con la combinazione occhio-naso-fronte, è caratteristica del tipo di metamorfosi del volto umano applicata all'epoca da Picasso. Non si tratta più dell'adozione simultanea di due diversi punti di vista né della ricomposizione degli organi secondo una nuova sintassi, ma piuttosto di una deformazione plastica che sembra incavare il volume del volto tirandolo in direzioni opposte. Questa malleabilità delle forme contrapposta alla rigidità geometrica del disegno riassume il duplice registro adottato da Picasso negli anni Quaranta: alternanza di forme morbide e rigonfie e di forme solide e geometriche. I motivi spesso ricorrenti di striature o di quadrettature che si armonizzano con i rigidi contorni delle figure formano una sorta di corazza (qui indicata dalla presenza dell'aragosta), tipica della scrittura picassiana del periodo di guerra, quasi l'artista sentisse l'esigenza, di fronte a un mondo in rovina, di chiudere le forme in una maggiore compattezza, di concentrarsi sui blocchi.

Da rilevare i dettagli del trattamento delle mani: la curiosa appendice di un dito nella palma dell'una, e la stretta maldestra e contratta dell'altra. I colori, grigio-verde e beige, sordi e slavati, riflettono il clima di tristezza allora diffuso, mentre le tracce della pennellata preludono alla maniera rapida e veemente delle ultime opere.

1. Z. XIII, 36.

Bambino seduto
1939
U.S.A., coll. privata

Bambino con colombe
Parigi, 1943
Parigi, Museo Picasso

Tête de taureau

(Testa di toro)

Primavera 1942
Parigi
Elementi originali: sellino e manubrio (cuoio, metallo)
H. 33,5 cm, l. 43,5 cm, pr. 19 cm

«Si è verificata una metamorfosi, ma ora vorrei che ne avvenisse un'altra
in senso opposto. Immaginiamo, ad esempio, che la mia testa di toro
venga gettata fra i rifiuti e che un giorno qualcuno la veda e si dica:
'Questo mi potrebbe servire come manubrio per la bicicletta'. Ecco:
allora si sarebbe effettuata una duplice metamorfosi»[1].
Picasso

Questo assemblage, che è una delle più famose sculture di Picasso, compendia tutto il genio inventivo dell'artista, il particolarissimo rapporto che stabilisce con gli oggetti più familiari, e il suo prodigioso potere creativo. L'opera propriamente detta comprende al tempo stesso la forma creata e l'idea che ne è stata all'origine: ovvero, la fusione di due "objets trouvés", un sellino e un manubrio di bicicletta. Questo tipo di opere, frutto dell'inclinazione di Picasso per il "bricolage" e del suo interesse per gli oggetti di scarto che sottopone a straordinarie metamorfosi, testimoniano dell'eccezionale acutezza con cui guarda alle cose che lo circondano e della sua straordinaria facoltà immaginativa. Non solo, dunque, egli vaglia accuratamente tutto ciò che gli capita fra le mani con l'idea che "possa sempre servire", ma al tempo stesso vi vede già qualcosa di diverso, intuisce le implicazioni formali di ogni oggetto e l'impiego che ne farà. Così, il manubrio è tale, ma è anche un paio di corna, e il sellino è anche la forma della testa dell'animale. Se lo spettatore riconosce immediatamente nella scultura la testa di un toro è perché Picasso ha saputo ritrovare istintivamente lo schema essenziale, l'archetipo universale che, dalle grotte di Lascaux al disegno di un bambino, significa il toro.

In Picasso la creazione assume spesso una dimensione magica, illusionistica, faceta e ludica. Egli sottrae gli oggetti alla loro funzione originaria e come per miracolo conferisce loro una nuova identità, riesce ad animarli. Perciò la sua scultura non è mai "noiosa", poiché egli

stesso non si annoia mai e sa salvaguardarne l'aspetto aneddotico. La *Testa di toro* rappresenta l'atto più radicale del demiurgo, la tappa decisiva dell'inserimento della realtà nella scultura, preannunciando così le sculture-assemblages degli anni Cinquanta: la carrozzina per bambini che si tramuta nella testa di una scimmia, il canestro di vimini che diviene il corpo di una capra, il monopattino che forma un uccello... Se in passato egli selezionava gli elementi reali che gli servivano per le sue sculture (un cucchiaio per il *Bicchiere di assenzio*, cartone e foglie per la *Donna con fogliame* [cfr. p. 88], utensili da cucina per la *Testa*, MP. 269, o per la *Figura*, MP.316) in base alla loro funzione, o alla forma, o alla materia, qui, e d'ora in poi, va oltre i propri procedimenti anteriori e sceglie l'oggetto per la sua forma, il suo materiale e il suo senso, ma un senso nuovo, che egli stesso gli avrà conferito. Spingerà addirittura il paradosso dell'illusione fino ad augurarsi che la testa di toro possa ridivenire sellino e manubrio. Perciò, pur fusi in bronzo – per conferire unità all'opera con un materiale omogeneo –, gli oggetti originari rimangono sempre identificabili, benché secondari. La testa di toro esiste infatti anche in due versioni in bronzo, che Picasso ha fatto ricavare dagli elementi originali e che sono quelle comunemente esposte e riprodotte.

1. A. Vallentin, *Pablo Picasso*, Albin Michel, Parigi 1957, p. 361.

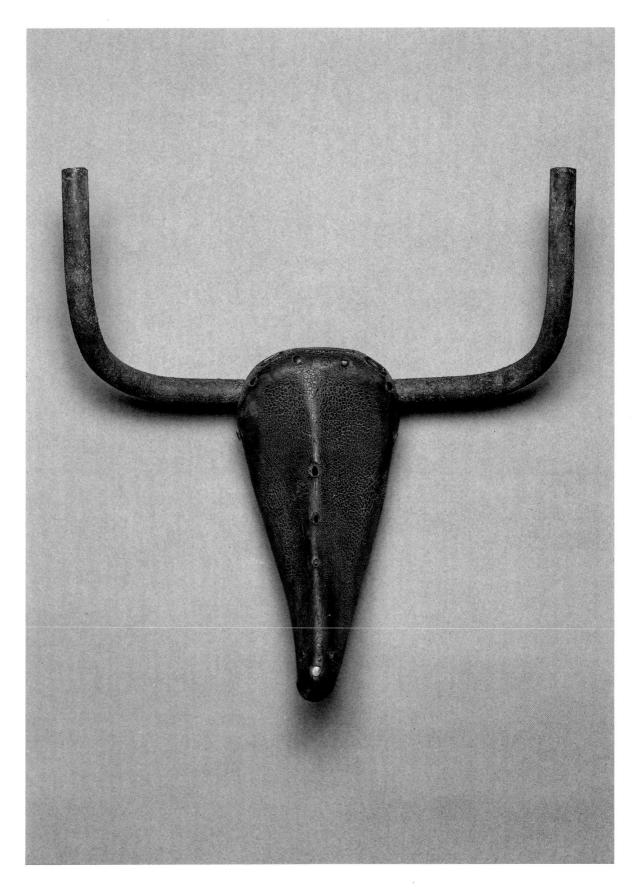

L'homme au mouton

(L'uomo con l'agnello)

Febbraio-Marzo 1943
Parigi
Bronzo
H. 222,5 cm, l. 78 cm, pr. 78 cm

«Dopo un'infinità di schizzi e mesi e mesi di riflessione, ho finito per mettere in piedi la statua in un solo pomeriggio... C'era anche Paul Eluard. Marcel mi dava una mano. Per prima cosa ho montato l'armatura; ma è raro che si riesca ad azzeccare i calcoli, e io avevo fatto male i miei: era troppo debole e non reggeva il peso della creta. La statua cominciava a vacillare e minacciava di crollare da un momento all'altro... una cosa spaventosa. Bisognava intervenire immediatamente. Ho messo al lavoro anche Paul Eluard... Abbiamo preso delle corde e abbiamo ancorato l'Uomo con l'agnello alle travi del tetto in modo da sostenerlo. Ho deciso di colarla subito in gesso, cosa che è stata fatta in quello stesso pomeriggio. Una faticata di cui mi ricorderò finché campo... Avevo intenzione di riprenderlo: vede che gambe lunghe e magre, e i piedi solo abbozzati, che si distinguono appena dal suolo? Avrei voluto modellarli come il resto. Ma non ne ho avuto il tempo, e ho finito per lasciarlo tale e quale... Adesso è troppo tardi. È quello che è. Se ci ritornassi sopra adesso, rischierei di rovinare tutto»[1].
Picasso

Ma chi è, veramente, l'uomo con l'agnello?

Un antico pastore mediterraneo che porta in offerta un animale che fra breve verrà immolato sull'altare di un dio? La presentazione frontale e l'atteggiamento ieratico gli conferiscono un carattere arcaico che evoca il Moskophoros, l'offerente del vitellino, del VI secolo a.C. O si tratta, invece, del Buon Pastore che riconduce all'ovile la pecorella smarrita, tenendone strette le zampe in una mano smisurata? «Non è né antico, né moderno, né egizio, né greco, né cubista», diceva in proposito Kahnweiler[2]. Picasso, per parte sua, negava che l'opera avesse carattere simbolico: «L'uomo potrebbe portare un maiale, invece di un agnello! Non c'è nessun simbolo. È bello e basta»[3].

La si vorrebbe definire una scultura "classica" (ciò che, nell'arte di Picasso e nella scultura del XX secolo, indica un'opera monumentale, interamente modellata): e al riguardo è d'uso fare il nome di Rodin, per stabilire se non altro una filiazione. Ma al tempo stesso questo classicismo è smentito da una quantità di elementi: sproporzione di talune parti del corpo rispetto all'insieme (in particolare, le mani); trattamento frettoloso, appena abbozzato delle gambe (ancorché, a detta di Picasso, si tratti di un non-finito involontario[4]); squilibrio nella ripartizione dei volumi, determinato dall'animale che l'uomo tiene davanti al petto senza che la sua posa ne controbilanci la presenza, e che risulta particolarmente evidente di profilo; infine, la rappresentazione "plantigrada" del personaggio, con il peso del corpo distribuito su entrambe le gambe, in luogo della tradizionale posa con una gamba portata in avanti mentre l'altra sostiene tutto il peso del corpo.

Andando oltre tutte le interpretazioni e tutti gli stili, qui «Picasso giunge alla creazione di opere il cui unico statuto è la libertà»[5].

Scheda di Hélène Seckel

1. Brassaï, *Conversations avec Picasso*, Gallimard, Parigi 1964, pp. 196, 197.
2. D.-H. Kahnweiler, *Les Sculptures de Picasso*, Edition du Chêne, Parigi 1948, n.p.
3. Picasso, in: *Permanence du sacré*, in «XXᵉ siècle», n. 24, Dicembre 1964. Citato da C. Piot, *Décrire Picasso*, Tesi (doctorat du 3ᵉ cycle), Université de Paris I, Ottobre 1981, p. 349.
4. Cfr. nota 1.
5. D.-H. Kahnweiler, op. cit.

Studio per *L'uomo con l'agnello*
Parigi, 1943
Parigi, Museo Picasso

La cuisine

(La cucina)

Novembre 1948
Parigi
Olio su tela
H. 175 cm, l. 252 cm

Nel Novembre del 1948, Picasso esegue due versioni lievemente differenti della *Cucina*, opera monumentale a *grisaille* e pressoché astratta. La genesi dei due quadri è stata descritta da Françoise Gilot nei suoi ricordi: «Pablo eseguì la prima versione di un grande dipinto intitolato *La cucina*, che gli era stato ispirato da quella dell'appartamento di Rue des Grands-Augustins in cui a volte cenavamo. Era verniciata tutta in bianco e oltre all'attrezzatura abituale comprendeva alcuni uccelli in gabbia: le uniche note di colore erano date da tre piatti spagnoli su una parete. Si riduceva essenzialmente a un cubo vuoto, completamente bianco, animato soltanto dagli uccelli e dai tre piatti. Una sera Pablo mi disse: 'Ne farò una tela – una tela fatta di niente'. E fece proprio così. Tracciò una rete di linee di forza che determinavano lo spazio, e alcune linee concentrinhe che sembravano bersagli: i piatti spagnoli. Sullo sfondo si potevano vagamente indovinare il gufo e le tortore. A questo punto esaminò l'opera e dichiarò: 'Adesso vedo due possibilità di svolgimento per questa tela. Ne faccia una seconda versione, assolutamente identica, e continuerò su quella' »[1].

La prima versione, più radicale e spoglia, si riduce dunque al puro schema lineare di organizzazione dello spazio; poi, Picasso sente l'esigenza di "rimpolpare" pittoricamente l'eccessiva asciuttezza del disegno, e nella seconda versione aggiunge alcuni dettagli precisi e colorati, come le foglie della pianta grassa a destra, la decorazione dei piatti di ceramica e le sagome dei tre uccelli con la gabbia. Inoltre, dietro la griglia formata dal reticolo grafico a punti e linee, inserisce dei campi di colore la cui combinazione e i cui contorni suggeriscono una profondità e conferiscono al quadro maggiore risalto e densità. Il tratto è autonomo rispetto al fondo e al colore: si tratta di una trama sovrapposta che ritma e delimita la tensione e le articolazioni dello spazio. «La forma» diceva Picasso «è un volume cavo su cui la pressione esterna è talmente forte da produrre l'apparenza di una mela... Ciò che conta è la pressione ritmica dello spazio sulla forma stessa»[2].

È un "disegno" dello spazio che ricorda le costruzioni in ferrro del 1928. Il motivo grafico a punti e linee era già apparso nei disegni astratti di costellazioni del 1924, e si ritrova, condensato, nell'illustrazione dello *Chant des morts* di Reverdy del 1948. Questa specifica scrittura pittorica, che secondo taluni deriverebbe dalla forma semplificata dell'osso, e secondo altri da un influsso delle monete galliche, sarà all'origine di numerose variazioni negli anni Cinquanta. La sua trama, più condensata nella litografia e più larga, invece, nella ceramica, riapparirà infatti come armatura per una nuova figurazione. Picasso non si ferma mai all'astrazione: l'invenzione di un nuovo sistema di rappresentazione grafica non può essere fine a se stessa, poiché ciò che conta sono le sue possibilità di applicazione, il confronto con un altro modo di espressione.

1. F. Gilot, Carlton Lake, *Vivre avec Picasso*, Calmann-Lévy, Parigi 1965.
2. F. Gilot, op. cit.

Petite fille sautant à la corde

(Bambina che salta alla corda)

1950
Vallauris
Originale in gesso (cesto di vimini, stampo per dolci, scarpe, legno,
ferro, ceramica e gesso)
H. 152 cm, l. 65 cm, pr. 66 cm

Come la *Donna che spinge il passeggino* (MP. 337), la *Bambina che salta alla corda* combina con humour e fantasia i procedimenti della modellazione e dell'assemblage: opera eccezionale tanto sul piano tecnico quanto su quello tematico, questa scultura priva di appoggi, che sembra sfidare le leggi della gravità, costituisce una vera e propria «negazione sardonica della statuaria»[1].

«Pablo Picasso aveva sempre sognato di realizzare una scultura che non toccasse terra», racconta Françoise Gilot. «E un giorno, nel guardare una bambina che saltava alla corda, trovò la soluzione. Da un lattoniere di Vallauris fece eseguire una base rettangolare da cui si innalzava, fino a un metro circa di altezza, un tubo di ferro curvato in modo da avere la forma della corda nel momento in cui tocca il suolo. Le estremità della 'corda' servivano di supporto alla figura. Il tronco della bambina era costituito da uno di quei cestini piatti in cui si raccolgono i fiori di arancio destinati alle fabbriche di profumi, collegato da una parte e dall'altra alle estremità del tubo per mezzo di un'impugnatura di legno. Quindi, prese della carta pesante con cui formò delle pieghe che assicurò alla parte inferiore del cesto. Vi colò il gesso, e quando fu asciutto tolse la carta, ed ecco fatta la gonna. A quest'ultima appese poi delle piccole gambe intagliate nel legno. Nell'immondezzaio aveva trovato due grandi scarpe, tutte e due dello stesso piede, che riempì di gesso e attaccò alle gambe. Per il viso si servì del coperchio rotondo di una scatola di cioccolatini, riempita anch'essa di gesso. Quando il gesso fu asciutto, tolse il coperchio e applicò il calco su una forma rettangolare in gesso che aveva rigato premendola su un pezzo di cartone ondulato,

assottigliato nella parte inferiore per formare il collo. Ai lati, un taglio leggermente in diagonale dava l'impressione dei capelli sciolti sulla schiena»[2].

Il procedimento dell'assemblage fondato sul ricorso agli oggetti di scarto, inaugurato con la *Figura* del 1935 (MP. 316) e ripreso nel 1942 con la *Testa di toro*, raggiunge qui una straordinaria unità e assume una nuova dimensione grazie alla modellatura in gesso che consente di armonizzare fra loro elementi tanto disparati. L'opera viene quindi fusa in bronzo, ciò che ne assicura la conservazione ma che d'altra parte attenua, pur senza negarlo, il carattere specifico dei vari materiali utilizzati.

L'originalità di queste sculture-assemblages consiste, infine, nel realismo psicologico che l'artista riesce a infondervi, grazie al sapiente uso del dettaglio significativo e all'espressività di cui arricchisce le sue figure. Qui, la gonna corta, le scarpe troppo grandi, i capelli ben pettinati e l'espressione composta da bambola, pur accentuando l'aria goffa e rigida del personaggio ne fanno al tempo stesso una figura archetipa di quella "bambina" i cui giochi, la perversità e l'innocenza affascinano Picasso, ispirandogli (come dimostrerà nella commedia *Les quatre petites filles* scritta nel 1952) un misto di tenerezza e di terrore.

1. A. Malraux, *Tête d'Obsidienne*, Gallimard, Parigi 1974, p. 32.
2. F. Gilot, Carlton Lake, *Vivre avec Picasso*, Calmann-Lévy, Parigi 1965, p. 290.

Donna che spinge il passeggino
Vallauris, 1950
Parigi, Museo Picasso

Scimmia con il cucciolo
Vallauris, 1951
Parigi, Museo Picasso

Gesso della *Bambina che salta alla corda* (durante l'esecuzione)
Vallauris, 1950
(Fondo R. Penrose)

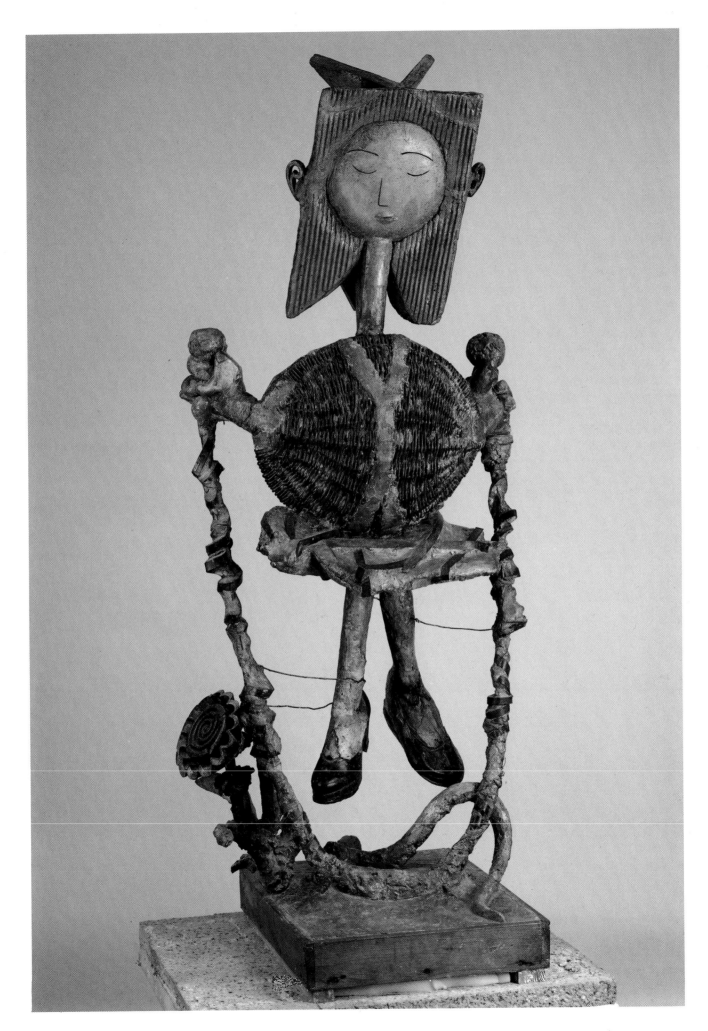

La chèvre

(La capra)

1950
Vallauris
Bronzo
H. 120 cm, l. 72 cm, pr. 144

«Picasso non aveva mai cercato la Grecia, ma la Grecia ha trovato lui. E da allora sono il mare di Golfe-Juan e il sole di Vallauris a guidare i suoi passi... Eretto, il volto bruciato dal sole, egli procede seguito dai due archetipi che meglio ne rappresentano il messaggio: la donna incinta e la celebre capra»[1].

Questa capra che potrebbe essere Amaltea, la cui mammella rigonfia nutrì Zeus neonato, è anche un animale che faceva parte della vita quotidiana dell'artista: a "La Californie", la sua villa di Cannes, egli teneva una capra viva che gli era stata regalata in occasione di un Natale, e che una foto di David Douglas Duncan[2] ci mostra nel giardino antistante la casa, legata alla coda della capra in bronzo.

Un pezzo di fusto di palma leggermente intagliato per formare la groppa, un altro per la fronte, un vecchio canestro di vimini per il ventre, dei pezzi di legno (i cui nodi sembrano articolazioni) e di ferraglia per le zampe, un ferro attorcigliato per la coda: ecco abbozzata la capra, nata dalla fusione di elementi eterocliti (Picasso è stato spesso definito un cenciaiolo geniale), trovati per caso o espressamente cercati per la loro forma o la tessitura. Su questo fragile scheletro, unito con filo di ferro e sostenuto da alcuni mattoni sovrapposti, egli modella la scultura, sommergendo in parte nel gesso gli oggetti assemblati che danno forma all'animale: dei ceppi di vite costituiranno le corna e la barba, del cartone le orecchie, una latta di conserva (che dà il suono del vuoto) lo sterno; e poi, due vasi di ceramica ocra (due brocche per il latte cui era stato tolto il manico) per le mammelle, un coperchio di metallo piegato in due, fino quasi a congiungersi, per il sesso, un pezzetto di tubo metallico per l'ano. Qua e là, una tavoletta di legno o una sbarra di ferro sottolineano un piano o una linea sporgente. La capra è stata poi fusa in bronzo, acquistando indubbiamente in perennità, ma perdendo in compenso, per chi non abbia visto il gesso, l'inesauribile fascino dell'assemblage.

Il gesto di colui che riunisce in un assemblage degli oggetti di scarto è al tempo stesso ludico e terribilmente serio: «Questo gesto che si sarebbe potuto ridurre al semplice gioco assumeva in Picasso la misteriosa gravità di un atto rituale che gli fosse imposto da una religione ignota»[3].

Così la vita nasce dalla mano dell'artista, quella stessa mano che raccoglie l'oggetto che il caso ha posto sul suo cammino, in un gesto non diverso da quello con cui Deucalione e Pirra avevano tratto dalle pietre trovate lungo la strada gli uomini e le donne che popolarono il mondo.

Scheda di Hélène Seckel

1. Odysseus Elytis, *Equivalences chez Picasso*, in «Verve», vol. VII, nn. 25, 26.
2. Riprodotta in D.D. Duncan, *Good bye Picasso*, Stock, Parigi 1975, p. 7.
3. Odysseus Elytis, op. cit.

Gesso della *Capra* (durante l'esecuzione)
Vallauris, 1950
(foto Chevojon)

La capra nel giardino di "La Californie"
1950
(foto D.D. Duncan)

Crâne de chèvre, bouteille et bougie

(Cranio di capra, bottiglia e candela)

1951-1953
Vallauris
Bronzo dipinto
H. 79 cm, l. 93 cm, pr. 54 cm

Una scultura dipinta... Ancora una volta Picasso tenta di creare una nuova categoria di opere, conciliando due modi di espressione che nella sua arte si alternano da sempre, in un dialogo iniziato con il Cubismo e costantemente riattivato da ogni successiva innovazione tecnica. *Cranio di capra, bottiglia e candela* fa parte di una serie di bronzi dipinti inauguratasi nel 1914 con il *Bicchiere di assenzio*, e costituisce una tappa intermedia fra le *sculture-assemblages*, di cui conserva il principio dell'inserimento di "objets trouvés" – in questo caso, un manubrio e dei chiodi –, le *tessiture a calco*, evocate dall'impressione di cartone ondulato, e le successive *lamiere dipinte*. A questo stadio, Picasso sembra volersi avvicinare ulteriormente alla pittura, discostandosi vieppiù dalla scultura a tutto tondo. L'opera in questione è infatti una sorta di eco tridimensionale di alcune nature morte (MP. 206)[1]: il colore vi svolge un ruolo determinante sia a livello espressivo sia a livello dell'organizzazione dei piani, e interviene attivamente non solo come decorazione ma anche quale elemento della struttura; infine, la scomposizione del volume della bottiglia in piani curvi formati da due coppi, la cui visione a elica suggerisce il volume, è una conseguenza diretta del Cubismo. *Cranio di capra, bottiglia e candela* costituisce «una summa delle risorse plastiche di Picasso: la bottiglia rinvia al problema della scultura aperta, trasparente, quale si presentava nel *Bicchiere di assenzio* del 1914; l'armatura metallica costruita per suggerire il volume della bottiglia ricorda le

opere eseguite in collaborazione con Gonzalez; il ricorso a un manubrio per raffigurare le corna evoca la testa di toro. Alcuni piccoli chiodi servono a formare il pelo irto fra le corna della capra, mentre altri, più grossi, mostrano i raggi di luce emessi dalla candela; la superficie del cranio, ottenuta dal calco in gesso di un cartone ondulato si richiama all'impiego, già abbozzato a Boisgeloup, di strutture destinate a sostituirsi alla modellazione libera. Quanto agli occhi, sono costituiti da due bottoni di acciaio»[2].

La scultura si compone di due masse distinte, l'una orizzontale e compatta – la testa di capra –, l'altra verticale e fatta di pieni e di vuoti: la bottiglia. Picasso ritrova qui l'iconografia tradizionale delle nature morte, che contrappone un simbolo di luce e di vita a un simbolo di morte. Questo tema del "memento mori" illustrato da un cranio di bovino o di capra compare per la prima volta in un quadro eseguito nel 1908 per la morte del pittore Wiegels, e viene ripreso nel 1942 in occasione della morte di Gonzales. Esso riapparirà anche in un dipinto del 1958, *Natura morta con testa toro* (cfr. p. 126).

1. Z.XVI, 199, 200, 298.
2. W. Spies, *Les sculptures de Picasso*, Clairefontaine, Losanna 1971, p. 180.

Cranio di capra, bottiglia e candela
Parigi, 1952
Parigi, Museo Picasso

L'atelier de La Californie

(L'atelier di "La Californie")

30 Marzo 1956
Cannes
Olio su tela
H. 114 cm, l. 146 cm

Nel 1955, Picasso si stabilisce in una nuova residenza a Cannes, in una grande villa di stile Belle-Epoque immersa in uno splendido e lussureggiante giardino esotico, "La Californie", di cui provvede immediatamente ad adattare a studio l'ampia sala di soggiorno, facendo di quell'universo barocco e sovraccarico il luogo della pittura. Si tratta di un ritorno definitivo alle rive del Mediterraneo, già preannunciato dai prolungati soggiorni a Golfe-Juan, Antibes e Vallauris. La decorazione e il particolare ambiente di "La Californie" saranno all'origine di una serie di Ateliers, che l'artista stesso definisce «paesaggi di interno» o perfino «paesaggi interni», realizzati fra l'Ottobre del 1955 e il Novembre dell'anno successivo: in tutto, una quindicina di tele sul medesimo soggetto la cui gamma si estende dall'esuberanza cromatica e decorativa meridionale alla più severa austerità "spagnola": la versione qui presentata si colloca a metà strada fra le due tendenze.

Il tema tradizionale dell'*Atelier*, vale a dire della pittura nella pittura, che fa da contrappunto a quello del *Pittore e la modella*, può essere considerato, in questo caso, un omaggio a Matisse, una risposta tardiva ai suoi Ateliers del 1911-1913 (che a loro volta costituivano una replica a quelli, di poco anteriori, di Braque): riferimento esplicito giustificato dalla recente scomparsa del pittore (1954) e già attestato dalla creazione delle *Donne di Algeri* da Delacroix, omaggio al colore, all'orientalismo matissiani, nonché alle sue celebri Odalische (evocate anche qui dal ritratto di Jacqueline in costume turco, nell'angolo inferiore destro della tela).

Ultima tappa, dunque, nel dialogo ininterrotto fra i due pittori, dialogo fatto di confronti, di contrasti e di affinità che trova in questo *Atelier* la sua più compiuta espressione. Adozione del fondo nero, luminosità del bianco "risparmiato" della tela, arabeschi decorativi del piatto marocchino e dei palmizi, gioco positivo-negativo delle forme ritagliate bianche e nere delle boiseries, campiture di colori tenui, spazio libero da ogni presenza umana e abitato unicamente dal silenzio della pittura: altrettante citazioni matissiane che formano un autentico «inventario dei suoi segni plastici»[1].

La decorazione della villa e gli oggetti presentati sono facilmente riconoscibili: la statua in bronzo la cui forma triangolare fa riscontro alla forma dipinta nella tela di destra, lo sgabello a scaletta, l'armadio scuro, il piatto "africano", il ritratto di Jacqueline in costume turco – unico tocco di colori vivaci –, e soprattutto il taglio "art nouveau" delle finestre, motivo di particolare valore plastico e fonte di infinite variazioni. Come nell'*Atelier* di Courbet, il centro del quadro è occupato da una tela ma qui – vertigine della pittura – si tratta di una tela bianca, intonsa.

Ad Alfred Barr che riferendosi ai toni bruni e grigio neri di un'altra versione dell'Atelier parlava di influenza spagnola, Picasso replicò «Velázquez!». Come non vedere, infatti, in questa serie che si colloca tra le *Donne di Algeri* (scena di interno per eccellenza) e *Las Meninas* (il Grande Atelier per eccellenza), una tappa remonitoria? La tela è pronta, la griglia impostata, i quadri e le quinte rettangolari pure; e soprattutto, le *Meninas* sono nate a "La Californie" e si concludono con una veduta luminosa del mare al di là della finestra.

1. P. Daix, *La vie de peintre de Pablo Picasso*, Ed. du Seuil, Parigi 1977, p. 362.

Les baigneurs

(I bagnanti)

Estate 1956
Cannes
Bronzo

La plongeuse
(La tuffatrice)
H. 264 cm, l. 83,5 cm, pr. 83,5 cm

L'homme aux mains jointes
(L'uomo a mani giunte)
H. 213,5 cm, l. 73 cm, pr. 36 cm

L'homme fontaine
(L'uomo-fontana)
H. 228 cm, l. 88 cm, pr. 77,5 cm

L'enfant
(Il bambino)
H. 136 cm, l. 67 cm, pr. 46 cm

La femme aux bras écartés
(La donna con le braccia allargate)
H. 198 cm, l. 174 cm, pr. 46 cm

Le jeune homme
(Il giovanotto)
H. 176 cm, l. 65 cm, pr. 46 cm

Picasso ha rivoluzionato l'arte della scultura in ogni direzione. Con i *Bagnanti* egli affronta il problema della composizione a più figure, del gruppo scolpito, poiché i sei personaggi costituiscono un insieme indivisibile. Dal punto di vista formale, essi preludono alla scultura geometrica e piatta: si presentano come altrettanti pali rettilinei, il cui ritmo è determinato dalle braccia e dalle teste, formate da quadrati, cerchi, losanghe, linee oblique.

Il modellino originale è fatto di assi di legno grezzo, inchiodate e aggiustate l'una all'altra. Anche in questo caso Picasso si è servito di "objets trouvés": piedi in legno tornito di un letto, manici di scopa, pezzi di lamiera ricavati da una pala ecc. Ma questi elementi disparati appaiono fusi in un insieme coerente, perdendo la loro specificità per essere utilizzati unicamente in virtù delle rispettive forme e delle potenziali caratteristiche di armonia con la struttura rigida globale. Questa scultura di forme piatte e geometriche è all'origine delle lamiere ritagliate e dipinte degli anni Sessanta, ultimo contributo di Picasso alla scultura del nostro secolo.

Ma nonostante il rigore formale, cui si ispireranno tanti scultori degli anni Sessanta, Picasso rimane fedele al realismo psicologico, all'espressione della scena. Ogni personaggio ha una propria personalità e uno specifico carattere: anche da questi pochi pezzi di legno uniti insieme la mano dell'artista sa trarre un essere vivente. Questo tipo di lavoro su legno, che trae origine dalle costruzioni cubiste, era già apparso in alcune piccole opere isolate, come la *Donna con l'orcio* del 1935 (MP.315), e si svilupperà in altre sculture basate sullo stesso principio: l'*Uomo con giavellotto* (1958), la *Testa* e il *Personaggio*, anch'essi del 1958[1].

1. Spies, 543, 559, 548.

Nature morte à la tête de taureau

(Natura morta con testa di toro)

25 Maggio-9 Giugno 1958
Cannes
Olio su tela
H. 162,5 cm, l. 130 cm

Questo dipinto del Maggio del 1958 è stato eseguito a "La Californie", e si inserisce dunque fra due tappe successive della creazione della *Baia di Cannes* (MP.212).

Le date riportate sul rovescio della tela (dal 28 al 30 Maggio, e poi 7 e 9 Giugno) corrispondono alle fasi cruciali della crisi politica francese susseguente ai fatti di Algeria, e alla presa del potere da parte del generale de Gaulle. E proprio all'atmosfera di ansia e di violenza di quei giorni sarebbe da attribuirsi, secondo Pierre Daix[1], la riapparizione del motivo della testa di toro morto. Trattata autonomamente, essa compare fin dall'Aprile in alcuni disegni[2], per poi trovare posto in una serie di grandi tele[3] l'ultima delle quali, e la più grande, è appunto questa *Natura morta con testa di toro*, direttamente ricollegabile al tema della morte di Gonzales illustrato nel 1942 da una tela di composizione assai affine, la *Natura morta* di Düsseldorf.

Il tema del "memento mori", inaugurato nel 1908 in occasione della scomparsa di Wiegels, e ripreso nel 1938 e nel 1942, presenta diverse varianti: crani di capra, testa di morto o di toro, teste di montone, spesso associati alla candela, simbolo di luce e di vita. Pur rifacendosi al motivo tradizionale della "vanitas", queste composizioni assumono in Picasso una dimensione e un significato del tutto particolari per la presenza di un elemento simbolico personale quale la testa del toro. La riapparizione del tema al di là del dialogo con la tradizione è dunque al tempo stesso un confronto dell'artista con il proprio universo.

Il contrasto fra la vita e la morte produce qui l'effetto angosciante di "un fulmine a ciel sereno": la presenza insolita di quella testa mozza, le orbite cave e la mascella hanno una forte connotazione morbosa,

mentre gli altri elementi della tela – il mazzo di fiori, i motivi a stella, i toni vivaci, il sole – sono un trionfale inno alla luce e alla vita.

La finestra illuminata dal sole, che concorre a strutturare la composizione, è quella dello studio dell'artista a "La Californie", veduta per cui egli mostra una particolare predilezione: la costa, il mare, figurano infatti in numerose opere, non in qualità di paesaggio, bensì presentate come un quadro all'interno del quadro.

Secondo un'ipotesi avanzata da Pierre Daix, i toni rosso, bianco e blu, sarebbero da interpretarsi come l'espressione di un sentimento patriottico nei confronti della Francia, già espresso nel 1915 in un disegno, e ancora nel 1945.

Il periodo della "Californie" e poi di Vauvenargues è caratterizzato dall'adozione di una nuova tecnica che sfrutta tutte le potenzialità della pittura a olio e gioca sui contrasti fra zone sature di colore e altre estremamente slavate. Probabilmente influenzato da pittori come Dubuffet o dai rappresentanti dell'astrattismo gestuale, Picasso lascia libero corso alla materia e agli effetti di tessitura: increspature, spruzzi e sgocciolature. Lascia agire la pittura e «chiede alla materia pittorica la sua verità di materia»[4].

Questi impasti, il gioco di trasparenze degli strati, l'inserimento nella tela di blocchi spessi e induriti di colore preannunciano talune opere del suo ultimo periodo.

1. P. Daix, *La vie de peintre de Pablo Picasso*, Ed. du Seuil, Parigi 1977, pp. 372-373.
2. Z. XVIII, 91, 93.
3. Z. XVIII, 95-98.
4. P. Daix, op. cit., p. 376.

Le déjeuner sur l'herbe

d'après Manet

(Déjeuner sur l'herbe, da Manet)

3 Marzo-20 Agosto 1960
Vauvenargues
Olio su tela
H. 130 cm, l. 195 cm

«Quando vedo il *Déjeuner sur l'herbe* di Manet, mi dico: Altre sofferenze in prospettiva», scrive Picasso sul retro di una busta[1]. Questa frase carica di significato e di presentimenti lascia intuire il senso profondo del rapporto Picasso-Manet, l'importanza della posta in gioco, l'intensità del dialogo e la sua fecondità. L'ispirazione a opere del passato è stata una costante nella vita di Picasso, che in talune fasi determinanti della propria evoluzione sentì l'esigenza di misurarsi con i maestri che lo avevano preceduto, di attingere un tema, un motivo dal dizionario dell'arte universale. Iniziato nell'Agosto del 1959 e condotto a termine nel Luglio del 1962, il ciclo del *Déjeuner sur l'herbe*, ultimo esempio, dopo le *Donne di Algeri* e *Las Meninas*, del tema dell'interpretazione delle opere del passato, è anche quello più ricco e più importante non solo per la durata ma anche per la molteplicità delle soluzioni proposte a partire dal modello originale: esso comprende infatti 27 dipinti, 140 disegni, 3 linoleografie e una decina di modellini in cartone per sculture. La serie si articola in diverse fasi, scandite da altrettante versioni definitive precedute da numerosi schizzi e disegni che, come osserva Douglas Cooper, costituiscono una sorta di «laboratorio dell'immagine»[2]. In questa versione, Picasso ha conservato la posizione dei personaggi e l'ambiente circostante (alberi, radura, fiume), la dominante azzurro, verde, rosa, nonché alcuni dettagli come la natura morta in primo piano, ma in compenso ha soppresso uno dei due personaggi maschili per porre l'accento sul rapporto istituito fra l'uomo che parla, all'estrema destra, e la donna monumentale seduta a sinistra: confronto che, suo malgrado, lo riconduce al dialogo essenziale fra pittore e modella, tema picassiano per eccellenza che precede, accompagna e segue i *Déjeuners*. In questi esercizi di stile, in realtà Picasso si aggiunge all'opera senza sovvertirne la struttura. A ogni tipo di interpretazione corrisponde uno stile diverso; egli adatta il proprio linguaggio formale alla situazione quasi volesse verificare su un modello già dato le proprie scoperte plastiche. Qui, una scrittura molto serrata, a festoni, che gli consente di inglobare i personaggi nel fondo decorativo, e un trattamento pastoso, con pennellate a vortice; altrove, invece, l'adozione di linee schematiche e rigide, di figure piatte che sembrano ritagliate.

Ci si può chiedere quali siano stati i motivi che hanno indotto Picasso a interessarsi più particolarmente a quest'opera e a sfruttarla con tanto accanimento. In primo luogo, il soggetto, che gli consente di impegnarsi nella resa del personaggio, di cui tenta di evocare la freschezza, i giochi di luce del sottobosco, la fluidità della materia. Inoltre, la presenza dei nudi gli permette di sperimentare diverse soluzioni che costituiscono in un certo senso una risposta alle *Grandi bagnanti* di Cézanne e alla *Gioia di vivere* di Matisse: del primo, conserva infatti il tentativo di inserimento dei corpi nel paesaggio, mentre al secondo attinge l'atmosfera pastorale e idilliaca.

1. Archivio Picasso.
2. Douglas Cooper, *Les Déjeuners*, Cercle d'Art, Parigi 1962.

Manet, *Le déjeuner sur l'herbe*
1863
Parigi, Musée d'Orsay

Déjeuner sur l'herbe, da Manet
Mougins, 1961
Parigi, Museo Picasso

Déjeuner sur l'herbe, da Manet
Mougins, 1961
Parigi, Museo Picasso

Femme aux bras écartés

(Donna con le braccia allargate)

1961
Cannes
Lamiera ritagliata, piegata e dipinta, parzialmente ricoperta di rete metallica
H. 183 cm, l. 177 cm, pr. 72,5 cm

Ultima tappa dell'avventura tridimensionale, la serie delle lamiere ritagliate e dipinte degli anni Sessanta organizza e sviluppa il principio della scultura piatta inaugurata con il gruppo dei *Bagnanti*. In effetti, l'assimilazione di procedimenti propriamente pittorici quali la superficie e il colore appare, qui, assai più accentuata. «La scultura è il miglior commento che un pittore possa fare sulla pittura», diceva Picasso. O ancora: «basta ritagliare la propria pittura e si arriva alla scultura»[1]. Non si potrebbe sottolineare più esplicitamente il costante dialogo fra i due modi di espressione che, come si è visto, è una delle caratteristiche dell'opera picassiana.

Per prima cosa egli ritaglia la forma nella carta, e ripiega poi taluni piani in modo da situare la figura nello spazio, suggerendo al contempo un certo rilievo.

Il modello in carta o in cartone viene quindi trasportato su un foglio di lamiera, successivamente ritagliata e dipinta di bianco o in diversi colori. Il ricorso alla lamiera piegata e dipinta può rammentare il *Violino* del 1915 o la *Chitarra* del 1924, da cui queste opere si discostano tuttavia negli intenti, poiché mirano a un'accentuata semplificazione formale, a una valorizzazione della superficie, della continuità, anziché della struttura interna. Lo spazio non è più dentro ma fuori, intorno all'opera; all'intersezione, alla sovrapposizione di piani è subentrata la continuità della superficie piatta. Partendo da una tecnica semplice come un gioco da bambini, quella del ritaglio e della ripiegatura, Picasso riesce a creare un popolo di personaggi metallici, spigolosi o curvilinei, e diversi l'uno dall'altro come la *Donna con bambino* (MP.361), il *Pierrot seduto* (MP.364) o i *Calciatori* (MP.362, 363). La *Donna con le braccia allargate*, con la sua minuscola testa, le larghe braccia aperte come ali, e la forma triangolare, sembra un grande uccello pronto a spiccare il volo: d'altronde, tutte queste sculture in lamiera danno l'impressione di un'aerea leggerezza. I particolari anatomici sono sottolineati in nero, mentre le ampie zone scure al di sopra della testa e lungo il braccio, rivestite di rete metallica, indicano le ombre portate e conferiscono risalto alla figura. Per animare la superficie Picasso sfrutta, qui, le differenze di tessitura, mentre in altri casi si servirà della pittura. La *Donna con le braccia allargate* fu realizzata anche in una versione ingrandita, in cemento, destinata al giardino di D.-H. Kahnweiler al convento di Saint-Hilaire.

1. Dichiarazione di Picasso a Gonzalez, 1946, in Dore Ashton, *Picasso on Art*, Viking Press, New York 1972.

Modello
Cannes, 1961
Parigi, Museo Picasso

Donna con bambino
Cannes, 1961
Parigi, Museo Picasso

Calciatore
Cannes, 1961
Parigi, Museo Picasso

Nu couché et homme jouant de la guitare

(Nudo coricato con suonatore di chitarra)

1970
Mougins
Olio su tela
H. 130 cm, l. 195 cm

Insieme al *Paesaggio* di Mougins (cfr. p. 136) e al *Vecchio seduto* (cfr. p. 134), questa tela appartiene al periodo più tardo dell'opera di Picasso (1970-1973), noto anche – per un curioso ricorso – come periodo di Avignone[1], a causa delle due grandi mostre del 1970 e del 1973 al Palazzo dei Papi che hanno contribuito a rivelarlo al pubblico.

Questa ultima fase costituisce in realtà un rapporto basilare per la storia della pittura occidentale, una tappa fondamentale la cui importanza, seppure in tutt'altro ambito, è pari a quella del Cubismo. Non solo essa rappresenta l'apoteosi di un universo creativo individuale, il testamento artistico di un pittore di genio, ma è anche fonte di nuove potenzialità pittoriche, è un'apertura verso un rinnovamento del linguaggio figurativo, un'apologia del ritrovato potere lirico dell'immagine dipinta. Inizialmente denigrato da un'intera generazione di stretta osservanza formalista e post-matissiana, che non seppe vedervi che gli eccessi di un pittore ormai troppo vecchio e di un'altra epoca, questo periodo – di cui si comincia finalmente a riconoscere il valore[2] – è destinato a rappresentare per lo sviluppo dell'arte degli anni Ottanta un punto di riferimento fondamentale, così come le gouaches ritagliate di Matisse lo furono per il decennio 1965-1975[3].

Nei suoi ultimi anni, Picasso sembra ritrovare vieppiù le proprie radici: i riferimenti alla Spagna si moltiplicano nei temi, nella maniera, nell'atmosfera dei suoi dipinti. Matador, uomini con spade, chitarristi e mangiatori di anguria sono le figure più importanti di quell'universo di "tarocchi" di cui parlava Malraux; predominano le armonie di grigio e di nero, con qualche tocco variegato e smagliante di rosa-rosso, di giallo oro o di arancio; infine, per il "barocchismo" e l'esagerazione, lo humour feroce e il senso tragico della morte che vi si esprimono, questi dipinti appaiono come i degni eredi di quelli di un Velázquez o di un Goya.

Nella tela qui riprodotta, Picasso ritorna a un tema già abbordato e trattato con qualche variante (*La serenata*): quello della musica e dell'amore, rappresentato da un suonatore di flauto o di chitarra e una donna nuda, i cui legami sono simboleggiati dall'omaggio musicale. Qui, la forma della chitarra è accentuata tanto da somigliare a una zucca a fiaschetta, ciò che ne pone in rilievo l'affinità con il corpo di una donna e conferma l'interesse di Picasso per lo strumento: la chitarra non significa soltanto il "cante jondo" della sua infanzia andalusa, ma anche le forme femminili. La scrittura pittorica del quadro è quella tipica del periodo di Avignone: forme schematiche sommariamente disegnate, segni grafici elementari come la spina di pesce per il sesso, le righe diagonali per il fondo, le spirali per la barba, mani e piedi smisurati con le dita a ventaglio. La forma delle teste ricorda i profili del periodo di Boisgeloup, con il caratteristico naso prominente. Il corpo della donna presenta un'accentuata torsione in modo che tutte le parti risultino visibili in successione e aderiscano al piano della tela.

La materia pittorica è spessa, in taluni punti lavorata, in altri invece stesa rapidamente lasciando in evidenza le tracce della pennellata: e il gioco delle trasparenze e delle sovrapposizioni di strati conferisce ai toni un'ampia gamma di valori.

«La pittura è ancora tutta da fare», diceva Picasso verso la fine della sua vita, come se si trattasse di ricominciare da capo, e la pittura fosse ancora in una fase arcaica, ai suoi primi passi.

In effetti, dopo aver messo in pericolo con la rivoluzione cubista il retaggio dell'arte rinascimentale minandone uno dei principi fondamentali, ovvero l'illlusionismo prospettico, Picasso, creatore di un nuovo spazio pittorico, ha saputo offrire alla pittura nuovi terreni di indagine. E al termine di "questo angoscioso viaggio", dopo aver detto tutto e in tutti i modi possibili, accettando perfino coscientemente negli ultimi

anni il peso della tradizione, il retaggio del passato, rimane ancora un quesito che rimette tutto in discussione: che cosa è la pittura, e come dipingere?

1. Avignone compare per la prima volta nel 1907 con le *Demoiselles*, poi nel 1914 in occasione di un effettivo soggiorno nella città, e infine per questo ultimo periodo.
2. Vedi la mostra delle opere cedute come pagamento delle tasse di successione, Parigi, Grand Palais, 1979-1980, che potrebbe svolgere nell'evoluzione artistica lo stesso ruolo di svolta decisiva della mostra di Cézanne del 1907; e soprattutto: New York, Pace Gallery, 1981; Basilea, Kunstmuseum, 1981; New York, Guggenheim Museum, 1983.
3. In entrambi i casi, l'importanza dell'opera non è stata riconosciuta che dopo una decina d'anni.

Vieil homme assis

(Vecchio seduto)

1970-1971
Mougins
Olio su tela
H. 145,5 cm, I. 114 cm

«Senza la solitudine non si può fare nulla. Mi sono creato una solitudine che nessuno sospetta»[1].
Picasso

Ritratto fatidico del "vecchio" pittore, questo dipinto fiammeggiante che condensa in un'unica immagine un'infinità di riferimenti pittorici, formali e simbolici rappresenta in realtà il più commovente e tragico degli autoritratti: ritratto del pittore sul finire della vita, ma anche di Matisse, di Van Gogh, di Renoir e di Cézanne, riuniti a esprimere il dramma del pittore alle soglie della morte, «oppresso dal sapere e dal peso dell'essere»[2], la sua solitudine, «la nostalgia e la fatica mortale»[3] di uno sguardo che ha visto tutto e che negli ultimi momenti ricorda le immagini essenziali, e, infine, la passione della pittura, cui qualcuno sacrificò un orecchio e qualcun altro una mano. Ma Picasso rimane Picasso, e lo slancio vitale che lo anima riesce a tramutare la vecchiaia in apoteosi, come dimostrano la veemenza della pennellata, i vortici di colori "fauves", le raschiature e gocciolature di materia.

«Quella manica di Matisse divenuta schienale di una poltrona, quel ritratto di pittore prostrato che si infligge la mutilazione di una mano, quella sorta di giardiniere con una barba da antico navigatore seduto in una poltrona di vimini su uno sfondo di fiamme fulve, quel vecchio che dipinge la propria tragica eco sotto forma di un viso di bambino appena abbozzato e come pretesto per la conservazione degli attributi essenziali della propria arte: il cappello di Van Gogh, la tavolozza e il pennello, tutto ciò mi induce a leggere il quadro come un ritratto della solitudine essenziale, nel momento stesso degli ultimi ricordi, quando tutte le immagini viste, tutte le immagini amate si presentano da sole alla memoria, eppure non riescono a disegnare il nostro volto, a raccontare la nostra storia, che è la storia delle immagini che abbiamo amato e del loro terribile incontro»[4].

Il riferimento a Matisse è senz'altro quello più palese; un disegno del 1971 raffigurante un vecchio con la barba e il cappello e su cui il pittore stesso ha scritto "tipo Matisse", il contrasto fra i toni smaglianti dell'arancio vivo e del blu cobalto, nonché l'allusione alla *Camicia Rumena* contenuta nello schienale della poltrona, sono altrettanti elementi che inducono a vedere nel quadro l'estremo omaggio di Picasso a colui che egli stesso definiva un «vecchio dio bianco e barbuto». Il cappello di paglia, che insieme alla tavolozza è uno degli attributi del pittore, deriva dagli autoritratti di Van Gogh e si ritrova anche nel ritratto, "pendant" di questo, del *Giovane pittore* (MP. 228). La posizione del vecchio seduto evoca quella del *Giardiniere Vallier* di Cézanne, la cui pensosa saggezza è frutto di una vita solitaria e di meditazione.

Infine, la mano mozza, l'osceno moncherino che è l'elemento più forte della figura, quello che la rende tanto potente e inquietante, è sicuramente un ricordo di Renoir dalle dita paralizzate, di cui Picasso conservava una fotografia dalla quale trasse un disegno. «La mano mancante non è, qui, una metafora, né un elemento suggestivo, bensì una soppressione e una violenza»[5]. Essa nasce da una cancellatura e appare, all'estremità di un braccio fatto di strisce blu, al centro di un cerchio come il pollice che sporge dal foro della tavolozza.

La mutilazione sembra infatti costituire la chiave finale del qua-dro: angoscia di morte, spettro dell'incapacità di dipingere che in passato si esprimeva nella cecità e oggi nella mutilazione.

«È d'altronde significativo che, in una tela così fittamente popolata di segni, sia proprio il più oscuro ad attirare maggiormente l'attenzione. Questo moncherino non va letto in senso riduttivo: per mezzo suo Picasso conserva per l'eternità la terribile posa dell'*Uomo dalla mano mozza*»[6].

1. Dichiarazione di Picasso a Tériade, 1932, in «Verve», nn. 19, 20, 15 Aprile 1948.
2. Jean-Michel Michelena, *Vieil homme au chapeau assis*, Capc, Bordeaux 1983.
3. Jean-Michel Michelena, op. cit.
4. Jean-Michel Michelena, op. cit.
5. Jean-Michel Michelena, op. cit.
6. Jean-Michel Michelena, op. cit.

Il pittore
1971
Arles, Musée Réattu

Il giovane pittore
Mougins, 1971
Parigi, Museo Picasso

Fotografia di Auguste Renoir
1919
(Archivio Picasso)

Ritratto di Auguste Renoir
(dalla fotografia)
Parigi, 1919
Parigi, Museo Picasso.

Paysage

(Paesaggio)

31 Marzo 1972
Mougins
Olio su tela
H. 130 cm, l. 162 cm
Iscrizione sul rovescio: venerdì/31/marzo/1972

Più interessato alla figura umana, Picasso dipinse pochi paesaggi e anche
quelli che conosciamo sono raramente paesaggi "puri", ma in generale
vedute familiari e vicine, quali poteva vedere dalla propria finestra e che
ritraeva in prospettiva o in panoramica. D'altronde, l'interesse, già
relativo, per questo tema concerne le specifiche qualità individuali di un
determinato paesaggio e la sua particolare fisionomia, e non il genere in
quanto tale. D'altro canto, Picasso si preoccupa soprattutto dei problemi pittorici, e molto meno della trascrizione di impressioni o di stati
d'animo. Per lui, la natura non è argomento di riflessione bensì ambiente, spettacolo, e soprattutto "forme". La casa, gli alberi, le componenti
plastiche del paesaggio mediterraneo in cui vive gli importano assai più
di una distesa di terra inabitata. La sua è una natura "addomesticata", che
egli piega all'architettura, delimita con contorni neri, e di cui frena
l'esuberanza imprigionandola in una rete di tratti spessi, come in questo
Paesaggio di Mougins, ultimo dell'opera, «notturno come un Golgota»[1].
Soltanto la forma dei palmizi e la collina permettono di riconoscere il
luogo, mentre gli altri motivi sono di difficile decifrazione.

La tela risale al Marzo del 1972: Picasso ha 91 anni e questa pittura
veemente, gestuale, a grandi linee, tipica del "tardo" periodo di Avignone, esprime la più totale libertà: è una "figurazione libera", ovvero il
riconoscimento della pittura come materia viva, autonoma, che crea da
sola i propri segni. Il trattamento gioca sugli impasti, le gocciolature, le
tracce di pennello, la trasparenza dei vari strati sovrapposti. La scrittura
è assai precisa: punti, macchie bianche e nere, spirali, larghe righe a zig
zag o a disposizione radiale, spina di pesce, tratto verticale coronato da
un cerchio (capovolto in basso a destra) e freccia obliqua discendente.
Tutti questi segni si compenetrano creando una larga trama, suggerendo le linee di forza che strutturano la composizione, controllano la
densa materia colorata e suscitano l'effetto drammatico di una pittura in
azione, accentuato dai toni verdastri, glauchi, opachi dell'insieme. Tutti
questi motivi plastici sono altrettanti ideogrammi che compaiono anche
in altre tele: la spina di pesce, in un ritratto del 1971[2], in un *Musicante*
(MP. 229) e inoltre, associata o confusa con il sesso femminile, in due
disegni[3]; quanto alla freccia e ai tratti chiusi ad anello, sono anch'essi
simboli sessuali.

Picasso tratta la natura come un organismo vivente, cui conferisce, come ai suoi mazzi di fiori o ai suoi corpi femminili, una vitalità
brutale, primitiva, elementare.

Giunto alla "vecchiaia", egli fornisce così un perfetto esempio di
arte che ritorna bambina.

1 D. Bozo, in catalogo Picasso. *Œuvres reçues en paiement des droits de succession*, Parigi, Grand Palais,
   1979-1980.
2. Z.XXXIII, 397.
3. Z.XXXIII, 470, 499.

Picasso, 1952
(fotografia R. Doisneau)

Picasso, 1904
(documentazione del Museo Picasso)

Biografia

1881   25 Ottobre: Pablo, primogenito di Don José Ruiz Blasco e di Maria Picasso y Lopez, nasce a Malaga.

1891   Settembre: arrivo della famiglia Ruiz Picasso a La Coruña.

1895   Don José è nominato professore a La Lonja di Barcellona. Estate: Pablo scopre Madrid e Barcellona. Vacanze a Malaga e ritorno a Barcellona via mare. Durante il viaggio dipinge delle marine. Inverno: prima grande tela accademica: *La prima comunione* (Barcellona, Museo Picasso).

1896   Estate: vacanze a Malaga. Picasso dipinge paesaggi e corride.

1897   *Scienza e carità* (Barcellona, Museo Picasso). Settembre: partenza per Madrid. Ottobre: pieno successo al concorso di ammissione all'Accademia di San Fernando.

1898   Giugno: ritorno a Barcellona, poi partenza per Horta, il paesino dell'amico Pallarès che sorge vicino a Gandesa, a sud dell'Ebro.

1899   Febbraio: Picasso ritorna a Barcellona. Si associa al gruppo che si ritrova al caffè Els Quatre Gats e conosce Jaime Sabartès e Casagemas.

1900   1 Febbraio: Picasso espone a Els Quatre Gats. Ottobre: partenza per Parigi con Casagemas. Sistemazione nello studio di Nonell a Montmartre. Incontra il mercante Pedro Manach e Berthe Weill; vende alcuni pastelli a collezionisti. 20 Dicembre: ritorno a Barcellona con Casagemas, che Picasso porta con sé a Malaga.

1901   Metà Gennaio: Picasso parte per Madrid. 17 Febbraio: suicidio di Casagemas a Parigi. Aprile: ritorno a Barcellona. Maggio: partenza per Parigi e sistemazione al numero 130/3 del Boulevard de Clichy, dove aveva lo studio Casagemas. 25 Giugno-14 Luglio: Picasso espone con Iturrino alla Galleria Vollard, a Parigi. Conosce il poeta Max Jacob. Inverno: *Autoritratto* "blu" (Parigi, Museo Picasso).

1902   Fine Gennaio: ritorno a Barcellona. 1-15 Aprile: espone con Lemaire alla Galleria Berthe Weill. Ottobre: nuova partenza per Parigi con Sébastien Junyer. 15 Novembre-15 Dicembre: mostra collettiva da Berthe Weill. Rivelazione delle tele "blu".

1903   Gennaio: Picasso ritorna a Barcellona. Primavera: inizia a lavorare a *La vita* (Cleveland Museum of Fine Arts).

1904   Aprile: partenza per Parigi e sistemazione al Bateau-Lavoir nello studio lasciato da Paco Durio. Autunno: maternità "rosa". Picasso conosce Guillaume Apollinaire e André Salmon. Incontro con Fernande Olivier.

1905   25 Febbraio-6 Marzo: Picasso espone le prime tele "rosa" alla Galleria Serrurier. Primavera: *I saltimbanchi* (Washington, National Gallery). Estate: soggiorno a Schoorl, in Olanda, dove dipinge *Le tre olandesi* (Parigi, Musée National d'Art Moderne, in deposito al Museo Picasso). Autunno: incontro con Gertrude e Leo Stein. Tema della morte di Arlecchino.

1906   Gertrude Stein lo presenta a Matisse. Inizi di Marzo: Vollard acquista la maggior parte delle tele "rosa". Inizi di Maggio: partenza per Barcellona con Fernande. Metà Maggio: partenza con Fernande per Gosol, paese isolato dell'Alta Catalogna; tema dei due fratelli. Termina il *Ritratto di Gertrude Stein* (New York, Museum of Modern Art), iniziato nell'Inverno del 1905.

1907   Inizia a lavorare a *Les Demoiselles d'Avignon* (New York, Museum of Modern Art). Fine Maggio: prima versione delle *Demoiselles*. Inizi di Luglio: versione definitiva delle *Demoiselles d'Avignon*. Inizio dell'Estate: prima visita di Kahnweiler al Bateau-Lavoir. Fine Settembre: visita di Braque. 1 Ottobre: retrospettiva di Cézanne al Salon d'Automne.

1908   *L'amicizia* (Leningrado, Ermitage). *Nudo in piedi* (Boston, Fine Arts Museum). Agosto: soggiorno a La Rue-des-Bois, paese a 60 chilometri a nord di Parigi. Ottobre: versione definitiva delle *Tre donne* (Leningrado, Ermitage).

1909   Maggio: partenza per Barcellona. Arrivo con Fernande a Horta de Ebro, dove dipinge i *Paesaggi* (New York, Museum of Modern Art). Settembre: ritorno a Parigi e trasferimento al numero 11 del Boulevard de Clichy. Autunno: sculture: *Testa di Fernande* (Parigi, Museo Picasso).

1910   Ritratti di *Vollard* (Mosca, Museo Puskin) e di *Uhde* (St. Louis, Collezione Pulitzer). Fine Giugno: partenza con Fernande per Barcellona e poi Cadaquès. Autunno: *Ritratto di Kahnweiler* (Chicago, Art Institute).

1911   Luglio: Picasso parte per Céret, villaggio della Catalogna francese. In Agosto lo raggiungono Fernande e Braque.
5 Settembre: rientro a Parigi.
1 Ottobre: sala cubista al Salon d'Automne. Picasso è assente.
Autunno: nella vita di Picasso entra Eva Gouel, che nelle tele il pittore chiamerà "Ma jolie".

1912   Primavera: primo collage, *Natura morta con sedia impagliata* (Parigi, Museo Picasso).
Primi *assemblages*: *Chitarre* in cartone (Parigi, Museo Picasso) e in lamiera (New York, Museum of Modern Art).
18 Maggio: partenza con Eva per Céret.
21 Giugno: partenza da Céret per Avignone.
25 Giugno: sistemazione a Sorgues, villaggio a nord di Avignone.
Luglio: arrivo di Braque con sua moglie.
Metà Settembre: primo *papier collé* di Braque durante un viaggio di Picasso a Parigi.
Ottobre: ritorno da Sorgues e trasferimento al numero 242 del Boulevard Raspail.
Novembre: primi *papiers collés* di Picasso. Tele derivate dai *papiers collés*.
18 Dicembre: lettera-contratto tra Picasso e D.-H. Kahnweiler.

1913   Intorno al 10 Marzo: partenza con Eva per Céret.
Settembre: sistemazione in Rue Schoelcher.

1914   Primavera: *Il bicchiere di assenzio*.
Giugno: partenza per Avignone.
Luglio: ritorno al ritratto.

1915   14 Dicembre: morte di Eva.

1916   Maggio: Cocteau presenta Diaghilev a Picasso.
Nel corso dell'estate trasferimento di Picasso a Montrouge, nella periferia di Parigi.
Agosto: Picasso accetta di collaborare a *Parade* (musica di Erik Satie).

1917   Parigi: lavora a *Parade*.
17 Febbraio: partenza per Roma con Cocteau. Fine di Febbraio: Picasso prende alloggio in Via Margutta, a Roma, da dove può vedere Villa Medici. Oltre a disegnare numerosi ritratti, dipinge *L'italiana*, *l'Arlecchino* e la *Donna con la collana*. Incontro con Stravinsky e con Olga Kokhlova.
Fine Marzo: viaggio a Napoli e a Pompei.
Fine Aprile: rientro a Parigi.
18 Maggio: prima di *Parade* al Châtelet.
Inizi di Giugno: Picasso parte per Madrid con la troupe di Diaghilev e Olga.
12 Luglio: banchetto offerto in suo onore a Barcellona.
Fine Novembre: Olga e Picasso si sistemano a Montrouge

1918   23 Gennaio-15 Febbraio: esposizione Matisse-Picasso da Paul Guillaume.
12 Luglio: Olga e Picasso si sposano nella chiesa russa di Parigi; Cocteau, Max Jacob e Apollinaire fanno da testimoni. Soggiorno a Biarritz. Dipinge *Le bagnanti* (Parigi, Museo Picasso).
Fine Novembre: sistemazione in Rue La Boétie.

1919   Inizi di Maggio: Picasso parte per Londra per lavorare al balletto *Il cappello a tre punte* su musica di Manuel de Falla.
Estate: soggiorno a Biarritz da M.me Errazuriz, poi con Olga a Saint-Raphaël (sulla Costa Azzurra).

1920   15 Maggio: prima di *Pulcinella* (musiche di Stravinsky).
Giugno: partenza con Olga per Juan-les-Pins (Costa Azzurra).

1921   4 Febbraio: nascita di Paulo.
22 Maggio: prima rappresentazione di *Cuadro Flamenco* (musica tradizionale andalusa adattata da Manuel de Falla).
Estate: sistemazione con Olga e Paulo a Fontainebleau, dove dipinge *Le donne alla fontana* (Parigi, Museo Picasso e New York, Museum of Modern Art) e *I tre musicanti* (New York, Museum of Modern Art e Philadelphia Museum of Art).

1922   Giugno: sistemazione a Dinard (Bretagna, costa della Manica).
Dipinge *Due donne che corrono sulla spiaggia* (*La corsa*) (Parigi, Museo Picasso).
Dicembre: scenografie per l'*Antigone* di Cocteau, messa in scena da Charles Dullin al Théâtre de l'Atelier.

1923   Estate: sistemazione a Cap d'Antibes (Costa Azzurra). Dipinge *Il flauto di Pan* (Parigi, Museo Picasso) nel corso dell'estate.

1924   18 Giugno: prima del *Mercure* (musiche di Satie).
20 Giugno: prima di *Train bleu* (musiche di Darius Milhaud).
Estate: sistemazione a Juan-les-Pins (Costa Azzurra), alla villa La Vigie. Album di disegni astratti.
Dipinge *Paul vestito da Arlecchino* (Parigi, Museo Picasso).

1925   Marzo-Aprile: Picasso a Montecarlo.
Giugno-Luglio: termina *La danza* (Londra, Tate Gallery).
Luglio: sistemazione a Juan-les-Pins, dove dipinge *Il bacio* (Parigi, Museo Picasso).
14 Novembre: I esposizione surrealista alla Galleria Pierre.

1926   *Il pittore e la modella* (Parigi, Museo Picasso).
Primavera: le *Chitarre con chiodi* (Parigi, Museo Picasso).
Estate: soggiorno a Juan-les-Pins.
Ottobre: viaggio a Barcellona.

1927   Gennaio: incontra Marie-Thérèse Walter.
Estate: vacanze a Cannes.

Picasso, 1926
(fotografia Man Ray)

143

1928   Gennaio: esegue il gran collage del *Minotauro* (Parigi, Musée National d'Art Moderne).
        Autunno: realizzazione delle sculture in ferro con Julio Gonzalez.

1929   Primavera: la *Donna in giardino* (Parigi, Museo Picasso).
        Estate: ultime vacanze a Dinard.
        Dipinge il *Grande nudo sulla poltrona rossa* (Parigi, Museo Picasso).

1930   Febbraio: *Crocifissione*.
        Giugno: acquisto del castello di Boisgeloup, vicino a Gisors, 80 chilometri a nord-est di Parigi.
        Estate: vacanze a Juan-les-Pins.
        Autunno: Marie-Thérèse prende alloggio al 44 di Rue La Boétie.

1931   Gennaio: *Due figure in riva al mare* (Parigi, Museo Picasso).
        Marzo: *Natura morta con tavolino a tre piedi* (Parigi, Museo Picasso).
        Maggio: prima sistemazione a Boisgeloup.
        Estate: vacanze a Juan-les-Pins.
        Nel corso dell'anno edizione di due importanti volumi: *Le Metamorfosi* di Ovidio (Losanna, Skira) e *Le Chef-d'Œuvre inconnu* di Balzac (Parigi, Ambroise Vollard).

1932   *Ragazza allo specchio* (New York, Museum of Modern Art).
        Giugno: retrospettiva alla Galleria Georges Petit, poi alla Kunsthaus di Zurigo.
        Estate: a Boisgeloup Picasso scolpisce delle teste ispirate a Marie-Thérèse.
        Serie di disegni ispirati alla *Crocifissione* di Grünewald.

1933   15 Maggio: primo numero della rivista «Minotaure», con copertina di Picasso.
        Estate: vacanze a Cannes con Olga e Paulo.
        Metà Agosto: partenza per Barcellona, dove si trattiene fino alla fine del mese.
        Settembre: dipinge a Boisgeloup *La morte del torero* (Parigi, Museo Picasso).

1934   Giugno-Settembre: dipinti, disegni e incisioni di corride.
        Fine Agosto: viaggio in Spagna con Olga e Paulo.
        Assiste alle corride di Burgos e di Madrid. Visita il museo di arte catalana di Barcellona.
        Serie delle sculture a tessitura colata: *Donna con fogliame*, *Donna con arancia* (Parigi, Museo Picasso).

1935   Primavera: esposizione di *papiers collés* alla Galleria Pierre.
        Incisione della *Minotauromachie*.
        Giugno: separazione da Olga.
        5 Ottobre: nascita di Maya, figlia di Marie-Thérèse.

1936   25 Marzo: partenza segreta di Picasso e Marie-Thérèse con Maya per Juan-les-Pins.
        Guazzi e disegni sul tema del *Minotauro*.
        È nominato direttore del Museo del Prado.
        Inizi di Agosto: Picasso parte per Mougins, dove lo raggiunge Dora Maar.
        Autunno: Picasso, che deve abbandonare Boisgeloup, lavora nello studio di Tremblay-sur-Mauldre prestatogli da Vollard (a nord-ovest di Parigi, verso Monfort-l'Amaury).
        Qui si sistemano Marie-Thérèse e Maya, che vi rimarranno fino al 1940.

1937   Inverno: Picasso prende uno studio in Rue des Grands-Augustins al numero 7.
        Febbraio-inizi di Marzo: lavora al Tremblay-sur-Mauldre.
        16 Aprile: bombardamento di Guernica.
        Metà Giugno: termina *Guernica*, esposto nel padiglione spagnolo dell'Esposizione Internazionale.
        Ottobre-Dicembre: dipinge *La donna che piange* (Parigi, Museo Picasso; Londra, Tate Gallery).

1938   Gran collage: *La toilette* (Parigi, Museo Picasso).
        Luglio: partenza per Mougins con Dora Maar.

1939   Inizi di Luglio: parte con Dora Maar per andare da Man Ray ad Antibes.
        Pesca notturna ad Antibes (New York, Museum of Modern Art).
        1 Settembre: partenza per Royan.
        Serie di *Donne col cappello*.

1940   Inizi dell'anno a Royan.

1941   Scrive il primo dramma surrealista: *Le désir attrapé par la queue*, pubblicato nel 1944.

1942   Primavera: *assemblage*, *Testa di toro* (Parigi, Museo Picasso).
        4 Maggio: termina *La serenata* (Parigi, Musée National d'Art Moderne).

1943   Febbraio-Marzo: realizzazione de *L'uomo con l'agnello* (Parigi, Museo Picasso).
        Maggio: incontro con Françoise Gilot.

1944   19 Marzo: rappresentazione privata del *Désir attrapé par la queue*.
        Metà Agosto: durante l'insurrezione di Parigi Picasso abita da Marie-Thérèse.
        5 Ottobre: adesione di Picasso al Partito Comunista Francese.
        7 Ottobre: apertura del Salon d'Automne e della retrospettiva di Picasso.

1945 Aprile-Maggio: *L'ossario* (New York, Museum of Modern Art).
Luglio: Picasso parte con Dora per Cap d'Antibes.
26 Novembre: Françoise torna da Picasso.

1946 Metà Marzo: Picasso raggiunge Françoise a Golf-Juan.
Visita da Matisse a Nizza.
Inizi di Luglio: partenza di Françoise e Picasso per Ménerbes.
Inizi di Agosto: sistemazione da Louis Fort a Golf-Juan.
Ottobre: inizi del lavoro al castello di Antibes.

1947 15 Maggio: nascita di Claude, figlio di Françoise.
Giugno: partenza per Golf-Juan.
Agosto: inizia a lavorare sulle ceramiche.

1948 25 Agosto: Picasso parte per il Congresso degli Intellettuali
per la Pace che si tiene a Wroclaw.
Metà Settembre: ritorno a Vallauris.
Dipinge le due versioni de *La cucina* (Parigi, Museo Picasso
e New York, Museum of Modern Art).

1949 Febbraio: per il manifesto del Congresso della Pace che si
inaugura il 20 Aprile a Parigi, Aragon sceglie *La colomba*.
19 Aprile: nascita di Paloma, figlia di Françoise.
Primavera: ritorno a Vallauris e acquisto dei laboratori
di Fournas.

1950 6 Agosto: Laurent Casanova inaugura a Vallauris *L'uomo
con l'agnello*.
Esegue *La capra*, *La donna col passeggino*, *La bambina che salta
alla corda* (Parigi, Museo Picasso).

1951 15 Gennaio: *Massacro in Corea* (Parigi, Museo Picasso).

1952 Disegni di *La Guerra e la Pace* per la decorazione della cappella
di Vallauris.
Scrive un secondo lavoro teatrale: *Les quatre petites filles*.

1953 Marzo: sulle «Lettres Françaises» scoppia il caso del *Ritratto
di Stalin*.
Françoise Gilot parte con i bambini per Parigi.

1954 Aprile: ritratti di Sylvette David.
Giugno: incontro con Jacqueline Roque.
Dicembre: inizio della serie di variazioni sul tema
delle *Donne di Algeri* di Delacroix.

1955 Maggio: partenza con Jacqueline per il Midi.
Sistemazione alla villa La "Californie" a Cannes.
Giugno: retrospettiva al Musée des Arts Décoratifs.
Estate: lavora con Henri-Georges Clouzot al film *Le mystère
Picasso*.

1956 *I bagnanti*; le sculture di legno (Stoccarda, Staatsgalerie)
vengono fuse in bronzo (Parigi, Museo Picasso).
Dipinge *L'atelier de La Californie* (Parigi, Museo Picasso).

1957 17 Agosto: inizia a lavorare a *Las Meninas* (Barcellona, Museo
Picasso).

1958 29 Marzo: presentazione della decorazione per l'UNESCO:
La caduta di Icaro.
Settembre: Picasso acquista il castello di Vauvenargues.
Dipinge *La baia di Cannes* (Parigi, Museo Picasso).

1959 10 Agosto: primi disegni ispirati a *Le déjeuner sur l'herbe
di Manet*.

1961 2 Marzo: si sposa con Jacqueline a Vallauris.
Giugno: sistemazione alla fattoria Notre-Dame-de-Vie
a Mougins (vicino a Cannes).
Lavora sulle lamiere tagliate e dipinte: *La sedia*, la *Donna con le
braccia allargate*, la *Donna con bambino*, i *Giocatori di pallone*
(Parigi, Museo Picasso).
Ottobre: festa a Vallauris per gli 80 anni di Picasso.

1962 Novembre: *Il ratto delle Sabine*, una delle cui versioni è
conservata al Musée National d'Art Moderne di Parigi.

1966 19 Novembre: inaugurazione della retrospettiva al Grand Palais
e al Petit Palais.

1967 Primavera: Picasso viene costretto a lasciare il suo studio
dei Grands Augustins.

1970 Gennaio: donazione delle opere conservate dalla famiglia
al Museo Picasso di Barcellona.
Maggio-Ottobre: esposizione al Palais des Papes di Avignone.

1971 Aprile: esposizione alla Galleria Louise Leiris di 194 disegni
realizzati fra il 15 Dicembre 1969 e il 12 Gennaio 1971.

1973 Gennaio: esposizione alla Galleria Louise Leiris di 156 incisioni
realizzate tra la fine del 1970 e il Marzo del 1972.
8 Aprile: morte di Picasso.
Maggio-Settembre: esposizione di 201 tele al Palais des Papes
di Avignone.

Picasso
(fotografia E. Quinn)

Bibliografia scelta

Testimonianze

Brassaï
    Conversations avec Picasso, Parigi, Gallimard, 1964.
Gilot, Françoise - Lake, Carlton
    Vivre avec Picasso, Parigi, Calmann-Lévy, 1965.
Kahnweiler, Daniel-Henry
    Mes galeries et mes peintres, Entretiens avec Francis Crémieux, Parigi, Gallimard, 1961.
    Confessions esthétiques, Parigi, Gallimard 1963.
Malraux, André
    La tête d'obsidienne, Parigi, Gallimard, 1974.
Olivier, Fernande
    Picasso et ses amis, Parigi, Stock, 1933.
Parmelin, Hélène
    Picasso dit..., Parigi, Gonthier, 1966.
    Voyage en Picasso, Parigi, Robert Laffont, 1980.
Penrose, Roland
    Portrait of Picasso New York, The Museum of Modern Art, 1957.
Sabartès, Jaime
    Picasso. Portrait et souvenirs, Parigi, Louis Carré e Maximilien Vox, 1946.

Monografie

Berger, John
    Le réussite et l'échec de Picasso, Parigi, Denoël, 1968.
Cabanne, Pierre
    Le siècle de Picasso, Parigi, Denoël, 1975, 2 voll.
Daix, Pierre
    La vie de peintre de Pablo Picasso, Parigi, Le Seuil, 1977.
Fermigier, André
    Picasso, Parigi, Livre de Poche, 1969.
Leymarie, Jean
    Picasso, Métamorphoses et Unité, Ginevra, Skira, 1971.
Penrose, Roland
    Picasso, Parigi, Flammarion, 1982.
    Picasso 1881-1973, Londra, Paul Eleck, 1973.
Raynal Maurice
    Picasso, Ginevra, Skira, 1953.
Schiff, Gert (a cura di)
    Picasso in Perspective, Englewood Cliffs, Prentice-Hall, 1976.
Stein, Gertrude
    Picasso, Parigi, Floury, 1938, 2ª ed., Parigi, Christian Bourgois, 1978.
Vallentin, Antonina
    Pablo Picasso, Parigi, Michel, 1957.

Cataloghi di mostre

Picasso, œuvres reçues en paiement des droits de succession
    Parigi, Grand Palais, 1979-1980.

Pablo Picasso, A Retrospective
    New York, Museum of Modern Art, 1980.

Guide

    Catalogue sommaire du musée Picasso, tomo I
    Peintures, sculptures, céramiques, collection personnelle. Parigi, Réunion des musées nationaux, 1985.
    Catalogue sommaire du musée Picasso, tomo II
    Dessins et carnets de dessins, Parigi, Réunion des musées nationaux, 1986.
Seckel, Hélèn
    Guide du musée Picasso, Parigi, Réunion des musées nationaux, 1985.

Cataloghi

Daix, Pierre - Boudaille, Georges
    Picasso, 1900-1906, catalogo ragionato dei dipinti, Neuchâtel, Ides et Calendes, 1966.
Daix, Pierre - Rosselet, Joan
    Le cubisme de Picasso, catalogo ragionato dei dipinti, 1907-1916, Neuchâtel, Ides et Calendes, 1979.
Spies, Werner
    Picasso, Das plastische Werk (catalogo delle sculture in collaborazione con Christine Piot), Stoccarda, Gerd Hatje, 1983.
Zervos, Christian
    Pablo Picasso, Parigi, «Cahiers d'Art», vol. I, 1932, vol. XXXIII, 1978.

Cet ouvrage a été achevé d'imprimer le 2 septembre 1985
sur les presses de l'imprimerie Union à Paris
d'après les maquettes de Bruno Pfäffli.

Le texte a été composé en Frutiger par l'Union Linotypiste,
les illustrations gravées par Clair Offset
et le papier fabriqué par les Papeteries Job.

Fotografie:
Réunion des musées nationaux, Parigi
(salvo indicazione particolare)

Questo volume è stato impresso
nel mese di Marzo dell'anno
1986 presso le Arti Grafiche
delle Venezie-Vicenza,
Gruppo Mondadori.
Stampato in Italia-Printed in Italy

Dépot légal septembre 1985
ISBN 2.7118.0265.5
8162.044